DIE WELT DER RELIGIONEN

in 18 Bänden

1 Santiago de Compostela · Die Wege der Pilger
2 Mekka und Medina · Die Städte des Propheten
3 Ganges · Der heilige Strom Indiens
4 Sri Lanka · Die heilige Insel des Buddhismus
5 Jerusalem · Die heilige Stadt dreier Religionen
6 Ise und Izumo · Die Schreine des Schintoismus
7 Delphi · Das Heiligtum der Griechen
8 Der goldene Ring · Das Christentum Rußlands
9 Kairo · Die Schule des Islam
10 Sevilla · Die heilige Woche
11 Rom · Der Petersdom
12 Himalaya · Die Klöster des Lama
13 Berg Athos · Die Klöster der Stille
14 Mexiko · Die Sonnenpyramiden
15 Assisi · Die mystische Welt des hl. Franziskus
16 Adschanta · Die geheiligten Höhlen Buddhas
17 China · Treffpunkt dreier Religionen
18 Der Nil · Die Tempel des Amun

Delphi

Das Heiligtum der Griechen

Text von Guy Rachet

Photographien von Takashi Okamura

Herder Freiburg · Basel · Wien

Inhalt

Seiten 2–3: Blick auf die Ruinen des Heiligtums von Delphi. Vom Eingang des Apollon-Tempels aus führt die Via Sacra durch das Heiligtum, das zu Füßen der westlichen Phädriade liegt.

Links: Hellenistische oder römische Kopie des Omphalos *(Nabel) aus mykenischer Zeit, der als Mittelpunkt der Erde betrachtet wurde. Das Original befand sich im* Adyton, *dem unterirdischen Raum des Apollon-Tempels.*

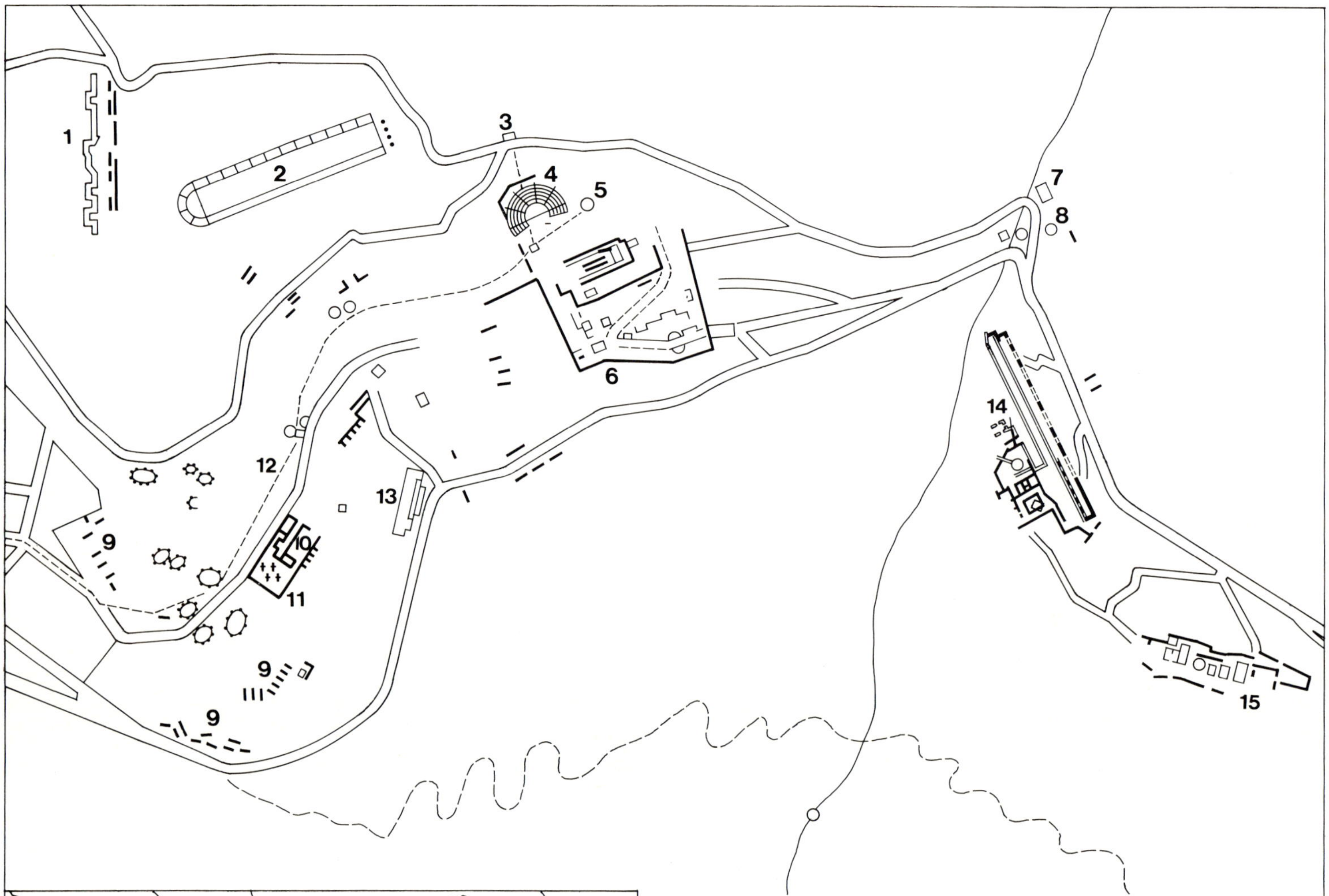

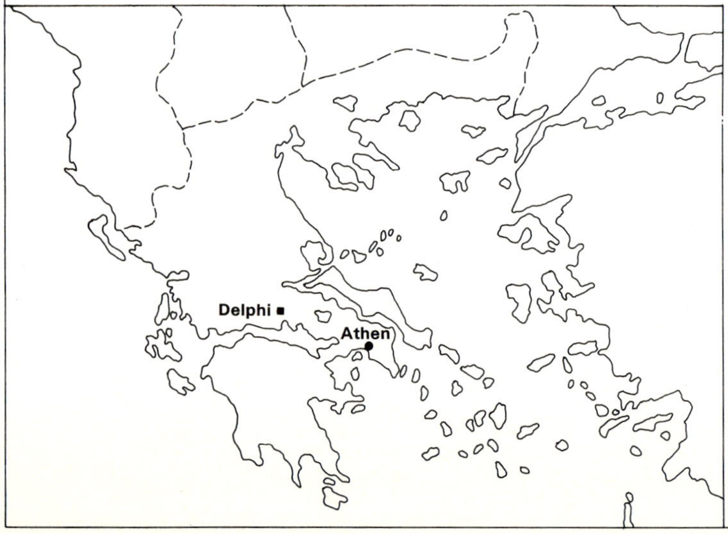

Delphi liegt in etwa 500 m Höhe über dem Meeresspiegel an den Hängen des Parnaß, nördlich des Golfes von Korinth in Phokis. Das Ausgrabungsgebiet umfaßt hauptsächlich das Heiligtum des Apollon Pythios, das Heiligtum der Athena Pronaia, das Stadion, das Theater und das Gymnasion.
1 Befestigungen des Philomelos; 2 Stadion; 3 Delphusa-Quelle; 4 Theater; 5 Kassotis-Quelle; 6 Heiligtum des Apollon Pythios (ausführlicher Grundriß vgl. Seite 54); 7 Kastalia-Quelle; 8 Kirche des hl. Johannes; 9 Gräber; 10 Kirche des hl. Elias; 11 römisches Synedrion; 12 Aquaedukt; 13 Museum; 14 Gymnasion (ausführlicher Grundriß vgl. Seite 83); 15 Heiligtum der Athena Pronaia.

Delphi und die griechische Religion

Plutarch, der berühmte Historiker und Moralist aus Chaironeia, der im 2. Jahrhundert lebte und Priester in Delphi (Delphoi) war, läßt zu Beginn seines Dialogs *Warum es keine Orakel mehr gibt* eine seiner Personen eine Legende von Adlern und Störchen erzählen, die zur gleichen Zeit an den äußersten Punkten der Erde abflogen und sich in Delphi trafen. Das gleiche Märchen wird bereits sechs Jahrhunderte zuvor von Pindar erwähnt, sogar mit dem Hinweis, daß Zeus selbst es war, der die Adler befreite. Darin ist zweifellos ein Beweis dafür zu sehen, daß Delphi bereits sehr früh in der Überlieferung als „Nabel der Welt" betrachtet wurde, der im Zentrum Griechenlands lag. Delphi ist nicht nur der geographische Mittelpunkt Griechenlands, sondern auch der Mittelpunkt der griechischen Religion. In den Kundgebungen des Kultes oder besser des Orakels, in den damit verbundenen Gottheiten spiegeln sich alle Kräfte wider, die die Größe der griechischen Religion ausmachen.

Die christlichen Polemiker des Altertums, die Humanisten der Renaissance, die die griechische Religion nur aus der Sicht der griechischen Mythologen jüngerer Zeit und der brillanten und poetischen Bilder aus Ovids *Metamorphosen* betrachteten, haben alle den späteren Generationen ein ebenso oberflächliches wie falsches Bild von der griechischen Religion übermittelt. Vollkommen ihrer Substanz beraubt, war sie nicht mehr als eine Mythologie, das heißt die mehr oder weniger unzüchtige Geschichte „gefallener" Götter.

Die griechische Religion hat unter dem Umstand gelitten – und ist daran gescheitert –, daß sie die Religion eines der Völker mit der größten Einbildungskraft und Intelligenz sowie den größten künstlerischen Fähigkeiten war, das die Menschheit je gekannt hat. Es waren die Griechen selbst, die ihre Religion zerstörten und ein entstelltes Bild überlieferten. Die zum Teil aus Griechenland stammenden Kirchenväter haben in ihren Polemiken einzig und allein die von den Sophisten und den Freidenkern des Heidentums entwickelten Gedanken in ihre Kritik gegenüber der Religion aufgenommen. Die Zerstörungsarbeit der Sophisten fand ein geeignetes Betätigungsfeld bei den Dichtern und Schriftstellern, die nicht aufhörten, die Götter zu vermenschlichen und ihnen Verhaltensweisen zuzuschreiben, denen jegliche göttliche Größe fehlte. Ebenfalls die Künstler nahmen den Göttern, auch wenn sie mythologische Themen aufgriffen, jenen Idealismus und jene Ausgeglichenheit, die ihnen Phidias verliehen hatte. Sie statteten sie mit immer realistischeren Zügen aus und nahmen ihnen gleichzeitig damit jene Würde und jene Kraft, die ehrfürchtige Bewunderung, aber gleichzeitig damit auch ein großes Maß an Furcht und Respekt erzeugt.

Die Historiker waren gezwungen, die Religionen nach möglichst wissenschaftlichen und objektiven Methoden zu untersuchen, unter Ausschaltung der jüdisch-christlichen Normen, um langsam unter der schillernden Farbschicht der Mythologie und jenseits des Vorhangs, den die Mythologen vor die tiefgreifende Wirklichkeit der griechischen Religion gezogen hatten, das wahre Gesicht einer der größten Religionen zu erkennen, die es je gegeben hat.

Bis vor relativ kurzer Zeit behaupteten zahlreiche Autoren, die Griechen hätten keine bedeutende Religion gehabt, nur weil diese nicht offenbart worden war und weil es keine durch Inspiration zustande gekommenen Bücher und keine Propheten gab. Es gehört eine gute Portion an Naivität dazu zu glauben, dies seien die Charakteristika einer großen Religion, nur weil sie einige der grundlegenden Züge des Christentums oder besser des Judentums sind. Es soll hier nicht darüber entschieden werden, ob es unbedingt dieser Elemente bedarf, um eine Religion als groß und bedeutend zu definieren und ob sie nicht eher ein Nach- als ein Vorteil sind und eventuell den religiösen Horizont eingrenzen. Die Behauptung ist überdies noch falsch, da sich die griechische Religion als eine Offenbarung betrachtete und sowohl Propheten und durch Inspirationen entstandene Bücher besitzt. Es sind die Götter selbst, die sich in Theophanien den Sterblichen zeigen, um sie in dem sie selbst betreffenden Kult zu unterweisen; dies ist der Fall bei Demeter, die zu Keleos, dem König der Eleusier, kam, um ihm ihre eigenen Mysterien mitzuteilen, oder auch bei Dionysos, der durch Griechenland zieht und die Begeisterung der Bakchantinnen schürte. Es gab ebenfalls eine streng religiöse Literatur, die in ihrer Gesamtheit verlorengegangen ist.

Aber wir können uns noch über diese Namen hinausbegeben. Die großen religiösen Bücher Griechenlands, von denen die Griechen zehrten sind die *Ilias* und die *Odyssee* und vor allem die *Theogonie* von Hesiod, die Dichtungen, die Oden und Päane der großen Poeten. Ihre Propheten sind Pindar, Aischylos, die Verfasser der homerischen Hymnen, Sophokles sowie Empedokles und Pythagoras oder Parmenides und Platon, die wirklich an den Anfängen des Monotheismus stehen, ein Gedanke, dessen religiöser Wert allerdings in Frage gestellt werden kann. Man darf nicht vergessen, daß für die Griechen der Dichter von einem Gott inspiriert ist, daß die Dichtung eine Schöpfung göttlicher Natur ist, ebenso wie die Malerei und die Bildhauerei, die die göttlichen Formen darstellen. Unter

diesem Gesichtspunkt sind Polygnotos und Zeuxis, Phidias und Polykleitos die Propheten der griechischen Religion.
In den Augen der Griechen ist das Kunstwerk in seiner Harmonie eine Manifestation der Gottheit. Und diese Suche nach der Schönheit mit Hilfe des menschlichen Körpers als wahrnehmbaren Ausdruck der Schönheit der Götter ist ein dominierendes Element der griechischen Gedankenwelt, ein dominierendes Element, aber nicht das einzige. Mit dem „Schönen" ist das „Gute" verbunden, das am Ende der sokratischen Suche steht und im Mittelpunkt der aristotelischen Moral. Den dritten Gegenstand dieser geistigen Trilogie bildet das „Gerechte". Dieser Sinn für die Gerechtigkeit erstreckt sich über die gesamte Natur bis hin zu den Tieren.
Zahlreiche geistige Strömungen haben sich seit der griechischen Vorgeschichte bis zum 5. Jahrhundert überlagert und vermischt, dem klassischen Zeitalter, in dem das Griechentum seinen Höhepunkt erreicht. Die zeitliche Ferne verklärt die komplexesten und oft gegensätzlichsten Aspekte der griechischen Religion, die nicht eine allein, sondern das Zusammenspiel vieler ist. Die Vielzahl der Mythen, Riten und Glaubensrichtungen können auf zwei, fast gegensätzlich wirkende Bereiche beschränkt werden: die chthonischen Kulte oder die der Unterwelt und die himmlischen Kulte. Man kann nicht leugnen, daß es sich hierbei um eine etwas schematische Reduzierung handelt, aber die Griechen selbst waren sich dieser Bipolarität absolut bewußt. Dies kam klar in den beiden Arten der Opferfeiern zum Ausdruck. Das Opfer, das den Göttern des Himmels geweiht ist, wird mit dem Verb *thyo* bezeichnet, und wird auf einem über dem Boden errichteten Altar *(bomos)* dargebracht; das Opfer, das für die Götter der Erde, für die Toten oder die Helden bestimmt ist, wird mit dem Verb *enagizo* bezeichnet und wird über einer Grube *(bothros)* dargebracht. Für die Griechen ist daher nie der Tempel die Kultstätte, der einzig und allein die Wohnstatt des Gottes ist, sondern der Altar. Nietzsche hat die beiden gegensätzlichen und sich dennoch ergänzenden Aspekte der griechischen Religion sehr deutlich hervorgehoben, indem er sie durch Apollon und Dionysos personalisierte. Apollon, der Gott der Sonne, ist das Symbol für Gleichgewicht, Ausgeglichenheit, Verstand, während Dionysos, der als mystischer Gott der Trunkenheit erscheint, das Symbol für die dunklen, unterirdischen Kräfte ist.
Die Wirklichkeit stellt sich natürlich viel komplexer dar, und die Charaktere der beiden Gottheiten sind nicht so eindeutig festgelegt. Es wäre ebenfalls eine zu grobe Vereinfachung, wenn man die Bewohner des Olymps indoeuropäischen Ursprungs den chthonischen mediterranen Göttern gegenüberstellen wollte. In Delphi erscheinen diese Gottheiten mit allem, was sie umgibt, den Riten, dem Glauben. Hauptsächlich treten hier die beiden delphischen Hauptgottheiten, Apollon und Dionysos, auf.

Apollon, der Gott mit den vielen Gesichtern

Apollon ist nicht der erste Herr von Delphi. Eine Homer zugeschriebene Hymne, die mit Sicherheit aus dem 7. Jahrhundert vor Christus stammt, beschreibt, wie sich die Griechen seine Ankunft am Ort des Orakels vorstellten. Der göttliche Bogenschütze kam in Pierien, in Makedonien, in der Nähe des Olymp auf die Erde herab, in einem Gebiet, das als Wohnstatt der Musen betrachtet wurde. Dann machte er sich auf den Weg nach Südgriechenland, nach Theben, ein noch unbewohntes, mit Wald bedecktes Gebiet. Er suchte nach einem geeigneten Ort für den Bau eines Tempels, in dem der Himmel, das heißt Zeus, durch einen Vermittler den Menschen, die Rat suchten, seine Entscheidungen mitteilen sollte. Er gelangt also in die Gegend von Haliartos, in der Nähe des Copais-Sees in Böotien, wo er die Quelle der Delphusa entdeckt. Diese Nymphe trat in Gestalt einer Stute in Erscheinung und war mit Poseidon selbst eine Verbindung eingegangen, der sich in einen Hengst verwandelt hatte. An sich handelt es sich bei der Nymphe um eine Gottheit der Erde, die hier ihr Heiligtum prophetischer Natur hatte. Delphusa, die befürchtete, Apollon würde ihr den Ruhm des Orakels streitig machen, versuchte, den Plan zu verhindern: „Die Menschen würden gestört durch den Anblick der vorbeiziehenden Wagen und Pferde und würden von deinem Tempel abgelenkt." Sie schmeichelt der Eitelkeit Apollons, nennt ihn Meister und behauptet, er sei ihr in jedem Falle überlegen und er solle sein Heiligtum lieber in Krisa, in einer der Talwellen des Parnaß (Parnassos) errichten, wo kein Lärm die Feierlichkeit der Kulthandlung störe.
Der Gott nimmt seinen Weg wieder auf und gelangt in die Nähe von Krisa, am Fuße des Parnaß. Hier will er seinen Tempel bauen, der reich und mächtig werden soll; er wird all jenen, die um Rat fragen, das Orakel verkünden. Der Ort war allerdings bereits von einem „riesigen und wilden Ungeheuer" bewohnt, einer Art Schlange oder Drachen, der die Bewohner der Gegend mit Schrecken erfüllte und sich von ihren Hammeln ernährte. Der Gott tötete mit seinen Pfeilen den Drachen, der unter der sengenden Sonne verweste und sich in Staub verwandelte. Nachdem Apollon das Ungeheuer getötet

hatte, soll er ausgerufen haben: „Nun verwese auf der Erde, die die Menschen ernährt..." Das Ungeheuer erhielt nun den Namen Python (griechisch pytho = verwesen), und die Gegend hieß von diesem Moment an Pytho. In Wirklichkeit scheint die Gegend noch vor der Ankunft Apollons den Namen Pytho getragen zu haben, und die Interpretation des Namens, die sich auf das griechische Wort für „verwesen" stützt, ist gleichermaßen berechtigt, wie die Zurückführung des Namens auf das griechische Wort *pynthanomai* (= fragen). Zweifellos handelt es sich hier um einen prähellenischen Begriff, den die Griechen aufgegriffen und hellenisiert haben. Ebenfalls prähellenisch ist der Name der anderen Schlange, die sich in diesem Gebiet aufhielt. Es war eine weibliche Schlange, die in der archaischen Überlieferung Delphyna heißt und deren Name mit dem von Delphi in Verbindung steht. Delphyna wurde wiederum mit dem Namen Delphusa in Verbindung gebracht. Vielleicht besteht aber auch eine Verbindung mit dem Delphin, der im Zusammenhang steht mit einer Legende um Apollon. Diese Delphyna, die während der griechischen Zeit zu einem Ungeheuer wurde, scheint ursprünglich eine Gottheit der Erde gewesen zu sein, das heißt eine ägäische Mutter-Göttin. Die Erde, die Göttin Gaia der Griechen, ist in der Mythologie Mutter der Ungeheuer, insbesondere der Drachen.
Und wer war dieser Apollon, der den Drachen besiegte? Man hielt ihn lange Zeit für eine nordische Gottheit; man stützte sich dabei auf den Mythos des Apollon von Delos, der in Zusammenhang gebracht wird mit den Hyperboreern, Bewohnern einer nördlichen Gegend, und den wichtigen Spuren seines Kultes, die in Thrakien gefunden wurden. Seine Erscheinung als Sonnengott, der mit blonden Haaren dargestellt wird, scheint diese These zu bestätigen. Tatsächlich wird er aber erst im 5. Jahrhundert vor Christus mit der Sonne (Helios) identifiziert. Allerdings wurde bewiesen, daß die „hyperboreischen" Aspekte der Mythen von Delos mit größerer Sicherheit in Verbindung zum minoischen Kreta und zu Anatolien stehen, als zu hypothetischen nordischen Mythen.
Der Name Apollon wurde in Verbindung gebracht mit dem des hethitischen Gottes Apulunas, dem Herrn der Tore; er könnte der Prototyp des Apollon Agyieus sein, der die gleichen Funktionen ausübt. In der Ilias, in der wir das älteste Zeugnis der Existenz Apollons finden, erscheint er als Beschützer der Trojaner, der asiatischen Feinde der Griechen. Der Gott als Bogenschütze ist der Gott der Pest, ein Symbol, das in seinen Pfeilen liegt, die die Menschen töten. Er erscheint ebenfalls als Beschützer der Lykier, eines anderen Volkes aus dem südlichen Kleinasien, und zweifellos bezieht sich der Name Apollon Lykios auf das Land Lykien. In Patara, in Lykien, besaß Apollon ein sehr altes Heiligtum, in dem eine Priesterin die Nacht in Erwartung einer Hierogamie verbrachte. Sie war somit die Gattin des Gottes. Einige Autoren nehmen an, daß ursprünglich auch Pythia und Kassandra, die Tochter des Priamus, diese Stellung innehatten; letztere hatte vom Gott auch die Gabe der Prophetie erhalten. Apollon offenbart sich ebenfalls als Herr der wilden Tiere, auf die gleiche Weise wie seine Schwester Artemis, auch sie eine *potnia theron,* Gebieterin der wilden Tiere, in Kleinasien. Der Name der Leto, der Mutter der in Delos geborenen göttlichen Zwillinge, wurde in Verbindung gebracht mit dem der Lada, einer lykischen Göttin, deren Name auf lykisch „Frau" bedeutet. In Lakonien zeigt sich dieser Herr der wilden Tiere auch in Gestalt eines Raubvögelbändigers, wie drei Elfenbeintäfelchen zeigen, die in Sparta im Tempel der Artemis Orthia gefunden wurden. Der Gott ist in östlichem Stil geschnitzt und hält auf jeder Hand einen Vogel, und auch er selbst ist mit Flügeln versehen. Natürlich ist die Identifizierung dieser Gottheit mit Apollon hypothetisch; aber die Tatsache, daß diese Täfelchen im Tempel der Artemis gefunden wurden, stützt diese Hypothese. Das Bild könnte sich aber auch auf Dionysos beziehen, der in der Nähe von Sparta dem Amyklas als geflügelte Gottheit unter dem Namen Ptilas erschienen war.
J. Duchemin hat ebenfalls den Aspekt des Herdenbeschützers dieses Gottes hervorgehoben, der zweimal von seinem Vater Zeus aus dem Olymp verbannt wurde und an den Hängen des Ida die Herden des Laomedon, des Königs von Troja, und des Königs Admetos in Thessalien hütete. Zur Zeit Alexanders wird Apollon durch Kallimachos wieder in seiner Gestalt als Hirte dargestellt, und in Patara zeigt ihn eine Statue mit dem Fuß auf dem Kopf eines Rindes. Mit diesem Aspekt steht auch der Apollon Smintheus der Ilias in Verbindung, der „Herr (oder Vertilger) der Mäuse". In der Vorstellung der frühzeitlichen Bauern vermischte sich die Schutzgottheit der Herden mit der Gottheit, die Macht hatte über die Mäuse und somit die Geißel verhindern konnte, die sie darstellten.
Die vielfältigen Erscheinungsweisen des Apollon kommen außerdem im Beinamen Loxias zum Ausdruck. Die Griechen erklären ihn mit dem Begriff *loxos* (= hinterlistig) wegen der oft dunklen und schwer zu deutenden Orakel des Gottes. Es handelt sich jedoch um eine später von den Griechen erdachte Etymologie zur Erklärung eines für sie unverständlichen Be-

griffes. Man hat auch erwogen, ob Loxias ein Dämon der Pflanzenwelt gewesen sein könnte, der mit Apollon identifiziert wird – was sehr wahrscheinlich ist. Dieses Epitheton führt insbesondere der Apollon von Delphi, und es wäre daher anzunehmen, daß diesem Loxias das Heiligtum vor der Ankunft Apollons gehörte. Der Name fände eine Erklärung auch durch die Überlieferung, die berichtet, daß Apollon von Loxias aufgezogen wurde, einer der Töchter des Boreas, die unter den hyperboreischen Jungfrauen von Delos aufgezählt wird. Leto, der Zeus seine Liebe geschenkt hatte, wurde deshalb vom Haß der Hera, dessen Gattin, verfolgt. Sie fand Zuflucht auf der Insel Delos, wo sie Artemis und Apollon gebar. Zu Beginn hielt sich Leto bei den Hyperboreern auf, und zwei hyperboreische Jungfrauen begleiteten sie, um Eileithyia, Göttin der Geburten, Gaben darzubringen. Loxias war eine dieser Jungfrauen. In einer anderen Überlieferung ist die Rede davon, daß die hyperboreischen Jungfrauen später nach Delos kamen, um „die heiligen Gegenstände" zu bringen, wobei man nicht weiß, um welche Art Gegenstände es sich handelt.

In bezug auf den Mythos der Hyperboreer scheinen die Griechen einige verschiedene Elemente miteinander vermengt zu haben. Die rätselhaften heiligen Gegenstände, die Göttin Eileithyia und die Jungfrauen selbst entstammen einer zweifellos kretischen Strömung, während Leto, ihre Kinder und der Mythos der Flucht vor Typhon, dem von Hera aufgehetzten Ungeheuer, ihre Muster in der östlichen Welt, in Anatolien, haben (semitisch und ägyptisch beeinflußt). Dennoch weist dieser hyperboreische Apollon nordische Aspekte auf. Bei seiner Geburt wurde die Insel Delos von Störchen, Tieren nordeuropäischen Ursprungs, überflogen. Nachdem er von Zeus im Olymp empfangen worden war, verbrachte er ein Jahr bei den Hyperboreern, wohin ihn ein von Störchen gezogener Wagen brachte. Die Hyperboreer sind an den Ufern des Ozeans ansässig, und hier haben sie Apollon in einem kreisförmigen Tempel verehrt. Dieser Tempel wird von manchen Wissenschaftlern mit dem Steinkreis von Stonehenge identifiziert, und die Heimat der Hyperboreer wäre demnach England; nach einer anderen Überlieferung wiederum sollen die hyperboreischen Jungfrauen aus einer Gegend jenseits des Landes der Skythen gekommen sein, in der die Arimaspen lebten, ein mit den Skythen verbundenes Volk, das etwa in Mittelsibirien gelebt hat. Diese Legenden scheinen aus späterer Zeit zu stammen und dem klassischen Apollon-Zyklus fremd zu sein. Trotzdem darf der für Delphi wichtige Glaube nicht übersehen werden, daß Apollon einen Teil des Jahres im Land der Hyperboreer verbringt und erst im Frühjahr nach Delphi zurückkehrt. Im Winter herrscht Dionysos in Delphi, der sich mit Apollon den Besitz des Heiligtums teilt.

Dionysos, Gott der Ekstase

Ebenso wie Apollon, ist Dionysos Sohn des Zeus. Seine Mutter Semele, Tochter des Kadmos, des Gründers von Theben, und Harmonias, war eine Sterbliche. Nachdem Semele Zeus darum gebeten hatte, sich ihr in seiner göttlichen Erscheinung zu zeigen, fiel sie vom Blitz getroffen nieder. Der Gott nahm Dionysos auf, den sie im Schoße trug, und schloß ihn in seine Schenkel ein, damit er zu Ende wachse, daher sein Name, der „zweimal geboren" bedeutet. Um schließlich den Neugeborenen vor dem Zorn Heras zu schützen, brachte er ihn in das Land Nysa (manchmal auch als Berg bezeichnet), das je nach den verschiedenen Überlieferungen in Afrika oder in Asien liegt. Daher könnte sich der Name Dionysos von „Gott aus Nysa" ableiten. Als Dionysos herangewachsen war, entdeckte er den Rebstock und den Wein. Nach einer Überlieferung durchzog er Asien und Afrika, nachdem ihn Hera mit Wahnsinn geschlagen hatte. Als er nach Phrygien gelangte, weihte ihn die Göttin Kybele in ihre Mysterien ein; dann zog er weiter nach Thrakien und nach Griechenland, um seinen Kult zu verbreiten.

Nachdem er so seine Macht bewiesen hatte, stieg Dionysos in die Unterwelt hinab, um seine Mutter Semele zu suchen und begab sich dann in seiner Eigenschaft als Gott in den Olymp.

Dionysos ist ebenso wie Apollon eine sehr komplexe Gottheit, in deren Persönlichkeit die verschiedensten Mythen und sekundäre, ihm fremde Gottheiten vermischt sind. Erwin Rohde sieht ihn als einen Gott Thrakiens, erkennt aber auch Analogien seines Kultes mit dem der phrygischen Großen Mutter Kybele. Einige Autoren haben den Ursprung seines Kultes in Anatolien gesucht, die größere Zahl von Autoren sieht den Ursprung jedoch in Thrakien, wo es noch heute Kulte und Riten dionysischen Charakters gibt. Selbst sein Name könnte in der thrakischen Sprache eine Erklärung finden, und würde „Sohn des Himmels" bedeuten. Semele wäre dann eine thrakische Göttin der Erde. Man war lange Zeit der Meinung, daß Dionysos eine in Griechenland relativ spät auftretende Gottheit sei, da er in den griechischen Schriften erst nach der ersten Hälfte des 4. Jahrhunderts vor Christus erwähnt wird. Auch in der homerischen Dichtung erscheint er nur beiläufig, so daß man diese Abschnitte für Interpolationen hielt. Nachdem man seinen Namen jedoch auf zwei mykenischen Täfelchen aus Pylos fand, die aus dem 13. Jahrhundert vor Christus stammen, mußte man ihn als eine alte Gottheit ansehen und hat sich sogar, nicht ohne Berechtigung, gefragt, ob Dionysos nicht bereits vor Apollon in Delphi heimisch war.

Dionysos ist vor allem als Gott des Weines bekannt. In dieser Eigenschaft haben ihn die Dichter in der hellenistischen und römischen Zeit verherrlicht. Jeanmaire hat jedoch nachgewiesen, daß es sich hierbei um eine erst relativ spät dem Gott zugeschriebene Eigenschaft handelt. Dieser Autor ist der Meinung, daß Dionysos ursprünglich Gott des Weinlaubes oder vielleicht des Efeus oder einer efeuähnlichen Pflanze war. Das würde erklären, warum er später der Gott des Weines wurde. Jeanmaire weist darauf hin, daß die Zeugnisse vom Ursprung seines Kultes in seinen ältesten Formen keinerlei Hinweise auf die Erfindung des Weines enthalten. Tatsächlich scheint dieses Attribut im Zusammenhang zu stehen mit der berauschenden Kraft des Weines, so daß die vom Akohol erzeugte Trunkenheit vergleichbar ist mit der Trunkenheit, die den dionysischen Kult charakterisiert. Diese Trunkenheit manifestiert sich in einer Art Trance oder Wahnsinn *(mania)*, der die Anhänger des Gottes dazu brachte, sich wie im Fieberzustand zu bewegen und oft auch zu tanzen. Diese Anhänger sind die Bakchanten, häufiger die Bakchantinnen, denn der Dionysos-Kult fand bei den Frauen stärkeren Anklang als bei den Männern. Bakchanten und Bakchantinnen sind die Diener des Bakchos, ein anderer Name des Dionysos, ursprünglich zweifellos nur sein Beiname. Das Wort ist nicht griechischen Ursprungs; es könnte möglicherweise aus Lydien stammen. Zudem erscheint das Wort Bakchos mit all seinen Ableitungen erst im 5. Jahrhundert vor Christus.

In älterer Zeit sind, vor allem in Delphi, die Anhänger des Dionysos weibliche Gestalten, die Menaden und Thyiaden. Thyiade bedeutet „im Kochen befindlich" oder „in Gärung" und meint sowohl die Tänze als auch den Erregungszustand, der bei der Ausübung des Kultes erreicht wird. Apollon soll eine Nymphe namens Thya geliebt haben, Tochter des Helden Kastalios, eines der ersten Bewohner der Gegend von Delphi, dem die Kastalia-Quelle ihren Namen verdankt. Aus dieser Verbindung ging Delphos hervor, nach dem die Stadt benannt wurde. Thya war die erste Priesterin des Dionysos und brachte seinen Kult an die Hänge des Parnaß. Nach ihr wurden in der Gegend von Delphi die Menaden Thyiaden genannt. Thyiaden wurden auch diejenigen genannt, die die Bakchantinnen aus Athen zum Fest der *Oribasia* nach Delphi sandten, ein Fest, von dem später die Rede sein wird. Die Thyiaden und die Bakchantinnen sind daher nichts anderes als die Menaden. Im Namen letzterer ist die gleiche Wurzel wie in *Mania* enthalten. Die Menaden sind vom Gott besessen, und die Besessenheit äußert sich im Tanzen und ungezügelten Lauf: einige Feste enden mit dem *Diasparagmos*, dem Zerreißen eines Opfertieres (im allgemeinen ein Rehkitz oder eine Zicke), dessen rohes Fleisch die Menaden verschlingen. Man ist der Meinung, daß die Menaden in ihrem „Wahnsinn" ihren Gott nachahmten, der im Zustand des Wahnsinns, in den ihn Hera versetzt hatte, seine Reise durch Asien unternahm. Seine Besessenheit hielt so lange an, bis er gereinigt und in den Kult der Kybele eingeführt wurde. Die *Mania* ist im Mythos des Dionysos stets gegenwärtig. Alle, die seinem Kult im Wege stehen, werden entweder vom Wahnsinn befallen oder fallen der *Mania* zum Opfer, die die Frauen ihres Landes besessen macht. So geschah es auch dem König Lykurgos von Thrakien, der ihn gefangennehmen wollte und die Bakchantinnen, die ihn begleiteten, festnahm: Vom Wahnsinn befallen, schnitt er sich ein Bein ab und verstümmelte den Sohn, weil er ihn für einen Rebstock hielt. Sein Reich wurde von der Unfruchtbarkeit der Tiere und der Erde heimgesucht, und das Orakel besagte, daß der König geopfert werden müsse, um den Zorn des Dionysos zu besänftigen. Die Menge schleppte ihn auf das Pangaion-Gebirge, wo er von Pferden zerrissen wurde. In den Beschreibungen der Dichter, auf den Vasen sowie auf den Mosaiken wird Dionysos, auf einem Wagen dargestellt, der von wilden Tieren gezogen wird; umgeben ist er von Satyrn, mit Hufen und Pferdeschweifen ausgestatteten Männergestalten, die später ein ziegenähnliches Äußeres annahmen, und nackten oder in weite Kleider gehüllten Bakchantinnen. Diesem dionysischen Gefolge hat man einen unterweltlichen Charakter zugeschrieben. Dieser Charakterzug wird durch den Aspekt des Nächtlichen des Dionysos verstärkt, der sehr bald mit Zagreus verwechselt wurde, einer Gottheit kretischen Ursprungs, deren Name „der große Jäger" bedeutet und der den Beinamen *Nyktipolos*, „Vagabund der Nächte", trug, ein Name, den auch die Anhänger des Dionysos trugen. Es war eine wilde Jagd, bei der Agaue die Bakchantinnen anführte, bevor Penteus gefangen wurde. Die nächtlichen Schwärmereien und die dionysischen Jagden wurden mit denen der Artemis verglichen, die mit ihren Nymphen im Geleit auf einer ewigen wilden Jagd die Gebirge durchzieht. Wie von den antiken Autoren hervorgehoben wird, sind bei Dionysos ebenso wie bei Artemis die stets von Frauen ausgeführten Tänze von orgiastischer Natur. Zu diesen Tänzen gehören die der jungen Mädchen von Sparta für Karya („Die Nüsse"). Der Tanz war „schnell, wirbelnd und bewegt" schreibt Louis Séchan, einer der besten Kenner der griechischen Tänze und „ähnelt in mancher Hinsicht denen der Bakchantinnen und der Menaden". Die Tänzerinnen der Karya sind mit einem Blätterkranz geschmückt. Ihnen wurden die Säulen in Form junger Frauen nachempfunden, die unter dem Namen „Karyatiden" bekannt sind.

Tänze und orgiastische Erregungszustände sind bei den antiken Kulten, insbesondere bei den griechischen Kulten, mit den Frühjahrsriten der Vegetations-Götter verbunden. In Griechenland sind Dionysos und Artemis die Götter der Vegetation. Obwohl keinerlei Verbindung zwischen den beiden Gottheiten zu bestehen scheint, muß diese doch ursprünglich bestanden haben; Artemis ist eine Verkörperung der prähellenischen Großen Göttin und der *Potnia theron,* Gebieterin der wilden Tiere in Anatolien und in der Ägäis – Dionysos seinerseits hat die Eigenschaften der Gebieter der wilden Tiere und des Begleiters der Großen Göttin übernommen. Unter diesem Gesichtspunkt ist er eine Art Doppelgänger des Apollon.

Als Gott des Baumwuchses und Gott der Unterwelt ist Dionysos ein Gott, der stirbt, ein geopferter Gott. Dieser Aspekt kommt in dem Mythos von Zagreus klarer zum Ausdruck, der zum großen Teil in Delphi spielt. Zagreus, auch „der erste Dionysos" genannt, ist von Zeus gezeugt, der eine Verbindung mit Persephone, der Göttin der Unterwelt und Tochter der Demeter, der Göttin der Samen und der Ernten, in Gestalt einer Schlange eingegangen ist, die ein chthonisches und in erster Linie prophetisches Tier ist. Um ihn vor der Rache der Hera zu schützen – ein Vorgang, der sich ständig in der griechischen Mythologie wiederholt – übergibt er den Neugeborenen Apollon und den Kureten, die ihn an den Hängen des Parnaß großziehen. Die Kureten sind Vegetationsdämonen oder Halbgötter. Sie sind aus der Erde geboren, richtiger aus den Daktyloi entstanden, Zaubergeistern des Berges Ida auf Kreta, die an den Waldhängen dieses Berges lebten. Ihnen wird das Verdienst zugeschrieben, die Technik, insbesondere die des Waffenbaus erfunden und die Bienenzucht eingeführt zu haben. Diese Geister waren die Beschützer des Zeus, als dieser im Kindesalter an den Hängen des Berges Ida von der Ziege Amaltheia genährt wurde. Nun begegnen wir den kretischen Kureten in der Umgebung von Delphi wieder, wie sie ein anderes göttliches Kind aufziehen.

Hera entdeckte den jungen Gott trotzdem und beauftragte die Titanen, ihn zu töten. Diese fingen ihn, als er sich in einen Stier verwandelt hatte, zerrissen ihn und verschlangen sein rohes Fleisch – ähnlich wie beim Ritus *Diasparagmos* der Menaden. Trotzdem gelang es Apollon, einige Stücke seines Körpers zu retten, die er in der Nähe des Dreifußes begrub, während Athena sein Herz zu sich nahm. Dionysos soll aus dem Herzen des Zagreus geboren sein, entweder weil Zeus es direkt der Semele zu essen gab, oder weil er es selbst zu sich nahm, bevor er die Verbindung mit ihr einging. Dieser Mythos symbolisiert das Opfer des Gottes in Gestalt eines Stieres und ist ein besonderer Aspekt des Opfers des Dionysos in Gestalt der jungen Ziege beim *Diasparagmos.* In der als orphisch bezeichneten geistigen Strömung, erlangt dieses Opfer einen soteriologischen Aspekt; Dionysos-Zagreus erscheint als Erlöser, ein Vorläufer des sich opfernden Gottessohnes im Christentum.

Dionysos steigt als gestorbener Gott in die Unterwelt hinab, um dort Semele zu suchen, die, nachdem sie auf die Erde zurückgekehrt ist, ebenfalls in den Olymp aufgenommen wird. Die Züge des Gottes, die im Zusammenhang stehen mit der Unterwelt, beziehen sich auf den Vegetations-Gott, einen Begleiter der Großen Mutter, der einen Teil des Jahres in der Unterwelt verbringt. Seine Rückkehr auf die Erde ist Anlaß für ein großes Fest. Dieser gestorbene und wiederauferstandene Gott hatte auch sein eigenes Grab, ebenso wie Zeus das seine auf Kreta hatte. Das Grab des Dionysos befand sich im Tempel von Delphi, im *Adyton* (Allerheiligstes). Die Grabinschrift lautet: „Hier ruht Dionysos, Sohn der Semele." Marie Delcourt behauptet, die Existenz dieses Grabes stehe im Gegensatz zu der Lehre von einem Gott, der stirbt und wiederaufersteht. Diese Behauptung wirkt eigenartig, denn im Christentum stirbt der Gottessohn und ersteht wieder auf aus dem Grab, das bis heute Ziel von Wallfahrten ist. Ebenso, wie für die Christen darin kein Gegensatz besteht, sahen auch die Griechen nichts Gegensätzliches in der Existenz eines Grabes des Dionysos und in seiner Wiederauferstehung, oder besser, in seiner Theophanie. Dieser mystische Aspekt erklärt zum Teil den großen Zulauf, den der Dionysos-Kult erfuhr. Mit einigen anderen Besonderheiten ist er der volkstümlichste und auch universalste Kult der Griechen geworden.

Während jede Gottheit ihr Heiligtum und die ihrem Schutz unterstellte Stadt besaß, war Dionysos überall zu Hause und war an keinen besonderen Ort gebunden. Unter einem anderen Aspekt war er der Gott des Volkes *(Demotikos);* sein Kult stand allen offen, den Frauen und sogar den Sklaven. Durch den Eintritt in eine *Thiasos* (mehr oder weniger geheime Bruderschaft, in der sich die Gläubigen zusammenfanden) verschwanden alle Unterschiede und alle waren vor dem Gott „gleich". Dionysos war auch eine Gottheit, die Freude und Befreiung brachte; durch die Ekstase *(ekstasis)* befreite sie von den sozialen Bindungen, ebenso wie sie die Seele von der körperlichen Bindung befreite. Schließlich trug auch seine kathartische Funktion, die Reinigung der Seele, die Läuterung von den Leidenschaften, von den irrationalen Instinkten durch deren Befreiung im Laufe der orgiastischen Riten, sehr stark zu seiner Popularität bei. Dieser Aspekt findet seinen Niederschlag in der griechischen Tragödie, die ihm zu Beginn gewidmet war – auch wenn die Ursprünge der griechischen Tragödie nicht im Dionysos-Kult zu suchen sind. Während der archaischen und der klassischen Epoche, wurden die Tragödien bei den dionysischen Festen aufgeführt. Der Umstand, daß die attische Tragödie in der gesamten hellenischen Welt zur Aufführung kam, war sicher von nicht geringer Bedeutung für die Verbreitung des Dionysos-Kultes.

Die übrigen Gottheiten von Delphi

Neben Apollon und Dionysos war Athena die bedeutendste Göttin von Delphi. Ihr war ein heute Marmaria genannter heiliger Bezirk geweiht. Mit großer Sicherheit war die Göttin hier vertreten und wurde seit mykenischer Zeit oder zumindest seit dem 13. Jahrhundert vor Christus unter diesem Namen verehrt. Auf Täfelchen aus mykenischer Zeit erscheint der Name einer Göttin *a-ta-na,* der sich nur auf Athena beziehen kann; am gleichen Ort wurden kleine stilisierte Statuen von Göttinnen oder Gläubigen gefunden. Ende des 6. Jahrhunderts wurde ihr ein dorischer Tempel geweiht, der auf den Fundamenten eines früheren Tempels errichtet wurde; um 380 wurde nicht weit entfernt ein weiterer Tempel erbaut.

Athena von Marmaria trug den Beinamen *Pronaia;* nach einer wenig überzeugenden Erklärung soll dieser Name „vor dem Heiligtum" bedeuten, da ihr Heiligtum vor dem des Apollon lag. Mit größerer Wahrscheinlichkeit hingegen bedeutet der Name „Wahrsagerin" oder „Prophetin", ein mögliches Attribut der Göttin, bevor Apollon das Orakel voll für sich in Anspruch nahm.

Athena (die Minerva der Römer) ist in der Mythologie die Tochter des Zeus. Metis (Personifikation der Klugheit), Tochter des Okeanos und der Tethys, war mit Zeus eine Verbindung eingegangen. Als sie ein Kind von ihm erwartete, wurde sie von Zeus verschlungen, denn ihm war geweissagt worden, daß eine aus dieser Verbindung hervorgehende Tochter ihrerseits einen Sohn gebären werde, der ihn entthronen sollte. Das mit Metis verschlungene Kind wuchs trotzdem heran und Hephaistos, Gott der Schmiede und des Feuers, befreite Zeus von dem Kind, indem er ihm mit einem Beil den Schädel öffnete. Athena trat voll bewaffnet aus dem Kopf des Zeus hervor und stieß einen Kriegsschrei aus. Der kriegerische Charakter der Göttin ist zu ihrem Hauptattribut geworden. Vor allem in Delphi erscheint sie in dieser Gestalt (eine Statue zeigt sie bewaffnet als *Promachos,* „die in erster Linie kämpft"). Außerdem war Athena als *Ergane,* „die Arbeiterin", Schutzherrin der Künste und der Handwerker; die Athener machten sie zur Göttin der Vernunft und der Philosophie.

Die ursprünglichen Wesenszüge der Athena als Schützerin des Landes äußern sich in ihrer Eigenschaft als Schutzherrin der Freistädte, insbesondere von Athen. Sie erscheint als Göttin des Olivenbaumes und überwacht das Pflügen der Felder im Herbst. Im Frühjahr, wenn das Getreide auf den Feldern zu wachsen begann, wurden ihr Opfer gebracht, und zur Zeit der Ernte tauchten die Athener eine alte Holzstatue der Göttin in Phaleron, einem Hafen der Athener, ins Meer, damit die Ernte reich ausfalle. Vielleicht war Athena ursprünglich eine Vogel-Göttin. Auf Vasen wird sie mit Flügeln oder mit einem Tauchervogel dargestellt. Diese archaischen Züge spiegeln sich im Symbol der Göttin, der Eule, wider.

Alle diese Eigenschaften bringen sie in die Nähe der Artemis. Mit Artemis ist sie die Schutzgöttin der Geburten und der Eheleute. Es scheint, daß sie auch von Artemis einige Wesenszüge übernommen hat. Nach einigen Überlieferungen war es nicht Artemis, die Leto Beistand bei der Geburt des Apollon leistete, sondern Athena selbst. Und es ist ebenfalls Athena, die als beschützende Schwester des Apollon in Erscheinung tritt; sie unterstützt ihn im Kampf gegen Python, und als sich Apollon nach dem Tod des Drachen im Tal von Tempe gereinigt hatte, ist es wiederum Athena, die ihn nach Delphi zurückbegleitet und ihm hier seinen Platz bereitet. Trotz allem hatte Artemis in Delphi ihre eigenen Feste, von denen nur die Namen bekannt sind: *Eukleia* im Februar, *Artamitia* und *Laphria* im März. Eukleia, „die Ruhmreiche", ist ein Beiname der Artemis, die als solche in Theben und in Korinth gefeiert wird. Laphria ist ein anderer Beiname der Artemis (auch der kretischen Göttin Britomartis und, in der männlichen Form, des Hermes) und steht wohl in Verbindung mit ihrer Funktion als Herrin der Tiere und Fruchtbarkeitsriten.

Auch Leto wurde in Delphi verehrt. In Krisa, dem Hafen von Delphi, war ein Tempel der Göttin und ihren beiden Kindern geweiht. Im Laufe eines wenig bekannten Festes, das sowohl in den Bereich der Theophanie (Fest der Erscheinung eines Gottes) als auch der Theoxenie (Fest des Apollon Theoxenios, „Schutzherr der Wirte“) einzuordnen ist, bereiteten die Bewohner Delphis den Göttern ein Festmahl. Zu den Gaben gehörte auch der Lauch, und dem Mann, der die größte Zwiebel gebracht hatte, stand das Recht zu, am Mahl der Götter teilzunehmen. Diese eigenartige Opfergabe findet ihre Erklärung darin, daß Leto, als sie Apollon erwartete, Lust auf Lauch gehabt hatte. Artemis war die vorgeschichtliche Göttin der Geburten, Eileithyia, zugeordnet. Sie wurde während der klassischen Epoche in Marmaria verehrt. Ihr Name erscheint auf mykenischen Täfelchen, und sie scheint bereits damals die Schutzgöttin der Geburten gewesen zu sein.

Obwohl Apollon in erster Linie als Gott der Orakel auftritt, wie sein Orakel in Didyma, in Klaros in Kleinasien, am Ptoion, in Abai und Tegyra in Böotien und Phokis bezeugen, wird er trotzdem nur als Vertreter von Zeus betrachtet, als der, „der den Menschen den unabänderlichen Willen des Zeus übermittelt“, wie es in einer homerischen Hymne heißt. Die Überlegenheit des Zeus ist darauf zurückzuführen, daß dieser höchste Gott, ursprünglich der Himmelsgott der Indoeuropäer, Herr des Schicksals ist; die Zukunft ist in seinen Gedanken festgelegt; nur er allein kennt sie und ist in der Lage, sie zu offenbaren. Er konnte auch direkt seine Entscheidungen bekannt geben: dies geschah in seinem Orakel-Heiligtum von Dodona. Das gleiche geschah in Olympia. In Oropos, wo er als Zeus Amphiaraos verehrt wurde, und in Lebadea, wo er als Zeus Trophonios herrschte, hatte der Gott ältere Orakelstätten übernommen. In Wirklichkeit jedoch scheint dieses Zeus zugeschriebene Attribut keinesfalls ursprünglich zu sein, es wurde ihm wohl von den indoeuropäischen Eindringlingen zugelegt, die ihren Gott in viele Heiligtümer der Länder einsetzten, die sie besetzt hatten.

Der Beiname *Euhypnos*, den Zeus in Delphi führte, bedeutet „guter Schlaf“. Daraus ließe sich schließen, daß in archaischer Zeit im Heiligtum eine Mantik gepflegt wurde, die auf der Inkubation und der Traumdeutung beruhte, ähnlich wie im Heiligtum des Heilgottes Asklepios in Epidauros. Er hatte eine Statue als Moiragetes, „Schutzpatron des Schicksals“, im Apollon-Tempel. In Mamaria stand ein Altar des Zeus Machaneos („Handwerker“) neben dem der Athena Ergane. Diese Anwesenheit läßt darauf schließen, daß es sich um in relativ später Zeit hinzugefügte Elemente handelt, die nichts mit dem ursprünglichen Geist des Heiligtums zu tun haben.

Die Anwesenheit Poseidons hingegen scheint älter zu sein. Poseidon, der Neptun der Römer, ist heute hauptsächlich als Herr des Meeres bekannt. In früherer Zeit jedoch war er in erster Linie der Gott der Erdbeben. Als solcher ist er mit der Mutter Erde, Gaia, verbunden, und es ist denkbar, daß er eine Weiterentwicklung eines alten ägäischen und anatolischen Gottes war, der in der Malerei als Stier dargestellt wird und der Begleiter der Mutter-Göttin gewesen zu sein scheint. Nach einer Überlieferung soll er das Heiligtum von Pytho bewohnt haben, und zwar im gleichen Tempel, in dem Gaia ihre Orakel über einen Propheten mit Namen *Pykon*, verkündete. Später soll Apollon mit ihm vereinbart haben, daß Poseidon ihm seinen Platz in Delphi überläßt und dafür die Insel Kalaureia (Poros) im Golf von Ägina übernimmt, auf der während der klassischen Zeit ein Poseidon-Tempel stand. Poseidon soll vor Apollon in Delphi die Nymphen angeführt haben, zweifellos in seiner Funktion als Gott der Quellen und der Wasserläufe.

In Delphi waren außerdem auch Gottheiten vertreten, die nur eine sehr nebensächliche Rolle spielten; oft erscheinen ihre Namen nur in den Schriften. Wir begegnen so zum Beispiel einer Aphrodite Epiteleia, „die zur Vollendung führt“, und die anwesend ist beim Vollzug der Ehe. Demeter, die Schutzgöttin des Getreides und der Ernten, hatte hier ein Heiligtum, von dem nichts mehr erhalten ist. Sie trat als Amme des Hermes in Erscheinung und sowohl in dieser Gestalt als auch in der der Göttin der Erde erfüllte sie eine Doppelfunktion mit Gaia, die weiterhin an der Seite von Apollon verehrt wurde. Hermes, der vor allem als Gott der Straßen, des Handels und der Diebe bekannt ist, hat möglicherweise ebenfalls ein Heiligtum in Delphi besessen.

Hermes wurde ebenfalls, gemeinsam mit seinem Halbbruder Herakles, in der Palästra von Delphi verehrt. Letzterer spielt vor allem in der delphischen Mythologie eine besondere Rolle; er hatte versucht, den Dreifuß der Pythia zu stehlen; Apollon erschien persönlich, um sein Eigentum zu verteidigen, und Zeus mußte als Schiedsrichter auftreten. Während des delphischen Kalendermonats Herakleios wurde ein Fest zu Ehren dieses Halbgottes gefeiert. Die Musen standen mit Apollon in Verbindung, der den Namen Musagetes, Anführer der Musen, trug. Sie inspirierten die Seher mit Hilfe der Quelle Kassotis. In Delphi waren nur drei der neun Musen vertreten, und sie hatten ihr eigenes Heiligtum südlich vom Apollon-Tempel. Wahrscheinlich waren diese Musen ursprünglich Gottheiten der Quellen; später wurden sie die Schutzgöttinnen der Künste und einiger Wissenschaften.

Die Stätte und die Bauwerke

Seite 17: Blick auf die Berge von Phokis, der Zentralregion Griechenlands, in der Delphi liegt.

Unten und vorhergehende Seiten: Das Massiv des Parnaß, das nördlich des Golfes von Korinth liegt. An seinen Osthängen liegt das Heiligtum des Apollon. Dieses majestätische Gebirge, das von vielen tiefen, unzugänglichen Schluchten durchzogen ist, wurde seit frühesten Zeiten als Sitz der Musen betrachtet. Zu Füßen der Phädriaden („die Strahlenden"), der sich hinter dem Heiligtum erhebenden Felsgruppe, entsprang die Quelle Kastalia. In dem Wasser dieser Quelle mußten sich die Pilger waschen. Diese rituelle Reinigung war die Voraussetzung dafür, daß sie den Tempel betreten und das Orakel befragen durften. Das herbe, wilde Panorama erfüllt diesen Ort, der zwischen Himmel und Erde, vom Rest der Welt abgesondert, zu liegen scheint, mit einem geheimnisvollen Zauber. Nach einer Apollon Pythios gewidmeten homerischen Hymne kam der Gott „nach Krisa, unterhalb des schneebedeckten Parnaß, an den dem Zephir zugewandten Hängen; darüber erhebt sich ein Felsen und darunter verläuft eine hohle Schlucht; hier beschloß der göttliche Apollon, einen schönen Tempel errichten zu lassen … der den Menschen als Orakel diene."
Rechts: Die Schlucht, in der der Fluß Pleistos fließt und über der sich das ausgedehnte Grabungsgebiet des antiken Delphi erhebt.

Vorhergehende Seiten: Eine Ansicht des Pleistos-Tales. Links liegt die östliche Phädriade, an deren Hängen die Reste der Gebäude der Marmaria erkennbar sind. Marmaria ist der heutige Name für den Gebäudekomplex des Heiligtums der Athena Pronaia, auf griechisch „der davorsteht", was von einigen Autoren als „Hüterin" des Tempels des Apollon ausgelegt wird. Andere wiederum sind der Meinung, der Begriff „Pronaia" muß als „Seherin" oder „Prophetin" interpretiert werden, ein ursprüngliches Attribut der Göttin Athena. Die Marmaria ist ein großer Platz inmitten eines Olivenhaines. Hier befinden sich die Reste von zwei der Athena geweihten Tempeln, die Tholos (Rundtempel) aus dem 4. Jahrhundert vor Christus, ein Gymnasion, eine Palästra mit Thermen und zwei weitere Votiv-Tempelchen. Als der aus Böotien kommende Apollon „unterhalb des schneebedeckten Parnaß" anlangte, wie es in einer dem Gott gewidmeten homerischen Hymne heißt, war das Gebiet bereits Sitz einer Kultstätte. Während der mykenischen Zeit, also noch bevor das Heiligtum des Apollon bestand, muß auf dem Gebiet der heutigen Marmaria ein religiöses Zentrum gelegen haben, denn unter dem Tempel der Athena wurden bei Ausgrabungn zahlreiche mykenische Statuetten von weiblichen Gottheiten und Priesterinnen gefunden.

Unten: Der Hafen von Itea, der Delphi nächstgelegene Zugang zum Meer.
Rechts: Das Tal des Pleistos, der in den Golf von Itea mündet (im Hintergrund erkennbar).

Das Heiligtum von Delphi. Hinter dem Heiligtum erheben sich die eindrucksvollen und leuchtenden Felswände der Phädriaden.

Folgende Seiten: Luftbild der Ruinen mit dem Stadion (rechts) und der weitauslaufenden Ebene, die zum Golf von Itea führt. Bevor sich hier der Kult des Apollon durchsetzen konnte (wahrscheinlich um das 8. Jahrhundert vor Christus), herrschte in Delphi die Erdgöttin Gaia, die als Schlangengöttin dargestellt wird. Nach der mythischen Erzählung einer Apollon gewidmeten homerischen Hymne wohnte ein weiblicher Drachen (man nimmt an, Gaia selbst, andere Quellen nennen deren Tochter Themis) bei der Quelle Kastalia. Als ein Ungeheuer „von unermüdlicher Kraft, fett, riesig, stolz, wild, brachte es den Menschen auf der Erde viel Unheil … Dieser weibliche Drachen nahm den wilden und furchtbaren Typhon auf und ernährte ihn, der ein Unheil war für die Menschen und Sohn der Hera (Juno) mit dem goldenen Thron.“ Typhon personifiziert in der griechischen Mythologie Erdbeben und Vulkanausbrüche. Apollon tötete das Ungeheuer und bewirkte, daß die Erde und der strahlende Hyperion (die Sonne) es verwesen ließen. Apollon vereitelte die letzten Versuche Gaias, die Herrschaft über die heilige Stätte zu behaupten und wurde der Herr der Gegend. Zuvor mußte er jedoch einige Zeit lang die Stätte verlassen, um sich zu läutern, denn auch die Götter unterliegen den für die Mörder bestimmten Gesetzen. Er kehrte einige Zeit später zurück und ergriff Besitz von dem Ort und dem Orakel.

Die Schlucht zwischen den Phädriaden, in der die Quelle Kastalia entspringt. Die Quelle stand wohl im Zusammenhang mit dem Kult der Erdgöttin Gaia: in ihrer Nähe wurden Fundamentreste mit einer Statue der Göttin gefunden. Zum heiligen Bezirk von Delphi gehörten neben der Kastalia zwei weitere Quellen (Kassotis und Delphusa) und ein tiefer Felsspalt, aus dem ursprünglich das Gurgeln des Wassers zu vernehmen war. Ein Baum (wahrscheinlich ein Lorbeerbaum) beschattete den Abgrund. Schließlich verlieh die wilde Herbheit der Landschaft der heiligen Stätte einen gleichzeitig geheimnisvollen und imposanten Charakter. Die religiöse Bedeutung Delphis ist, was einmalig für Griechenland ist, an den Ort gebunden und unabhängig von den Gottheiten, die mit dem Ort in Verbindung standen. Delphi ist ein Heiligtum, an dem Generationen und Völkerströme vorbeigezogen sind, die einerseits von dem aufnahmen, was sie vorfanden und andererseits dem Vorhandenen Eigenes hinzufügten. Die römischen Dichter betrachteten die Kastalia als Quelle der Inspiration und den bevorzugten Aufenthaltsort Apollons und der Musen. Das klare Quellwasser diente zur rituellen Reinigung der Gläubigen, der Angehörigen des Heiligtums und des Heiligtums selbst. In seinem Drama Ion*, das in Delphi handelt, fordert Euripides „die Delphier, Diener des Apollon“ zu denen auch Ion gehört, auf, auch „zur Quelle Kastalia mit den silbernen Strudeln“ zu gehen „und nachdem sie sich im klaren Wasser gereinigt haben“, zum Tempel zurückzukehren.*

Unten: Die westliche Phädriade mit den Ruinen des Apollon-Tempels.

Rechts und folgende Seiten: Teilansicht der Säulen des Apollon-Tempels. Es handelt sich um die Reste des Tempels, der zwischen 370 und 340 vor Christus errichtet wurde. Zuvor stand hier der gegen Ende des 6. Jahrhunderts vor Christus von der mächtigen athenischen Familie der Alkmeoniden (aus der attischen Stadt von den Peisistratiden verjagt) errichtete Tempel, der durch ein starkes Erdbeben im Jahre 373 vor Christus zerstört worden war. Der Tempel der Alkmeoniden war seinerseits an die Stelle eines noch älteren Tempels getreten, der 548 vor Christus einem Feuer zum Opfer gefallen und das Werk der beiden legendären Architekten Trophonios und Agamedes war. Der letzte dieser im dorischen Stil errichteten Tempel hatte sechs Tuffsteinsäulen an der Vorderfront und fünfzehn an den Seiten. Den Eingang erreichte man über drei Stufen. Der südliche Teil stand auf einer mächtigen Mauer, die ihrerseits Halt auf einer darunterliegenden Terrasse fand, die wiederum von einer Mauer abgestützt wurde.
Auf dieser Terrasse lag gemeinsam mit anderen Gebäuden wahrscheinlich auch die Wohnung der Pythia. Im unterirdischen Raum des Tempels (Adyton), *wo sich der* Omphalos *befand, verkündete die Pythia ihre Orakel, die dann von Priestern interpretiert und aufgeschrieben wurden.*

Unten und rechts: Die Via Sacra, *im Heiligtum von Delphi.*

Folgende Seiten: Das polygonale Mauerwerk des Apollon-Tempels mit den Säulen der Stoá der Athener. Die Via Sacra *beginnt an der südöstlichen Ecke des heiligen Bezirkes und führt über eine etwa vierhundert Meter lange kurvenreiche Strecke bis zum Eingang des Apollon-Tempels. An der vier bis fünf Meter breiten Via Sacra liegen verschiedene Denkmäler und Schatzhäuser, das heißt Gebäude, die von den griechischen Städten zur Aufbewahrung ihrer Opfergaben und der ihrer Bewohner errichtet worden waren. Mit diesen Opfergaben, Zeichen des Reichtums und der Macht, beabsichtigten die Spender, dem Gott ihre Verehrung und ihre Dankbarkeit zu bezeugen. Die Schatzhäuser sind gleichzeitig Zeichen für den Partikularismus und die Rivalität in der antiken griechischen Welt. Folgendes Beispiel sei angeführt: aus Anlaß ihres Sieges über die Athener ließen die Spartaner nach Beendigung des Peloponnesischen Krieges (431–404 v. Chr.) hier einen Exvoto errichten, der ihren Admiralen gewidmet war, die die Rivalin in der entscheidenden Seeschlacht von Aigospotamoi geschlagen hatten. Das Gebäude steht einem Denkmal gegenüber, das anläßlich des Sieges der Athener über die Perser bei Marathon errichtet wurde.*

Unten: Das Theater von Delphi. Es liegt an den Hängen des Hügels oberhalb des Apollon-Tempels. Es wurde im 4. Jahrhundert vor Christus errichtet und während römischer Zeit, im 2. Jahrhundert vor Christus, von König Eumenes II. von Pergamon restauriert. Das Theater faßte etwa 5000 Personen auf 35 Stufen aus örtlichem weißen Stein, die den Zuschauerraum bildeten. Die Orchestra war mit polygonalen Steinen gepflastert und umgeben von einem überdeckten Aquädukt. Das Proszenium war mit einem Basrelief geschmückt, auf dem die zwölf Arbeiten des Herakles dargestellt waren. Der griechische Schriftsteller Pausanias (2. Jahrhundert vor Christus) bezeichnet das Theater in seinem Führer durch Griechenland *als „prachtvoll". Hier fanden die musischen Wettbewerbe und die athletischen Wettkämpfe der Pythischen Spiele statt.*

Rechts: Luftbild des Stadions. Es wurde im 5. Jahrhundert vor Christus außerhalb der Stadt und des heiligen Bezirkes errichtet, jedoch während der römischen Zeit erheblich verändert. Ein reicher Mäzen aus Athen, der Gelehrte und Philosoph Herodes Atticus, der im 2. Jahrhundert nach Christus in Rom lebte, machte es durch großzügige Schenkungen möglich, daß die Stufen des Stadions mit pentelischem Marmor verkleidet wurden, wie Pausanias berichtet. Es faßte nun 7000 Personen und hatte eine Länge von 117 Metern. Die Rennbahn war an den Enden 25 Meter, in der Mitte 28 Meter breit.

Links und vorhergehende Seiten: Die Ruinen der Tholos, eines Rundtempels des Heiligtums der Athena Pronaia. Er ist aus Marmor gebaut und stammt aus dem 4. Jahrhundert vor Christus. Die Tholos befand sich fast im Mittelpunkt der Marmaria und war umgeben von einem Peristyl aus neun korinthischen Halbsäulen. Als Kontrast zum weißen Marmor des Gebäudes war der Boden mit Ausnahme des Innenkreises mit schwarzem Marmor ausgelegt. Bei diesem außergewöhnlichen Bauwerk kennt man die Funktion nicht genau. Während der römischen Kaiserzeit wurde es in einen römischen Tempel ungewandelt und diente dem Kaiserkult. Westlich der Tholos erhob sich der sogenannte neue Tempel der Athena, der im 4. Jahrhundert vor Christus gebaut wurde. Er trat an die Stelle des weiter östlich angelegten archaischen Tempels, der 480 vor Christus (im Jahr der Schlacht von Salamis) durch einen Felssturz zerstört worden war. Um ähnliche Unfälle zu vermeiden, wurde der neue Tempel der Göttin an einer anderen Stelle erbaut. Das 22 Meter mal 12 Meter große Gebäude besaß an der Vorderfront (Prostylos) sechs Säulen und lag neben dem Wohnbau der Priester. Von hier aus gelangte man zu einem Ausgang des heiligen Bezirkes, der zum Gymnasion führte.

Folgende Seite: Die Stelle, an der einst das Gymnasion stand. Das Gebäude stammt aus dem 4. Jahrhundert vor Christus und wurde auf Resten eines Gebäudes aus archaischer Zeit errichtet. Hier übten die jungen Delphier die verschiedenen athletischen Disziplinen; hier hielten sich auch die Athleten vor ihrem öffentlichen Auftritt auf.

Das Orakel

Vorhergehende Seite: Die Stelle, an der die Kastalia-Quelle entspringt. So, wie wir den Ort heute antreffen, geht er auf die hellenistische und römische Zeit zurück. Die mit dem Orakel und dem Kult des Apollon im Zusammenhang stehende Quelle war von Anfang an sehr einfach eingefaßt. Zur ihr gehörten eine Fassade, eine Art Speicherbecken dahinter und ein äußeres Becken mit einer Treppe. Die in den Felsen gehauene Fassade war mit sieben Marmorsäulen verziert, auf denen ein Querbalken lag. In vier Votivnischen waren wahrscheinlich Statuetten der Nymphe und vielleicht Gaben der Gläubigen untergebracht. Im Wasser der Quelle reinigten sich nicht nur die Pilger, die nach Delphi kamen, um das Orakel zu befragen, sondern auch die Pythia, bevor sie ihre Orakel im Adyton verkündete, dem unterirdischen Raum des Apollon-Tempels.

Rechts: Der sogenannte Felsen der Sibylle. Die Anwesenheit der Sibylle in Delphi steht im Zusammenhang mit dem Kult des Gottes Dionysos, der den zweiten Platz unter den im Heiligtum verehrten Gottheiten einnimmt. Die Sibylle ist eine aus Kleinasien stammende Prophetin. Die Ableitung des Namens ist ungewiß. Er bezeichnet eine besondere Art weiblicher Wahrsagerinnen, die im Zustand der Besessenheit inspiriert werden. Einige Wissenschaftler vertreten die Meinung, bei Pythia handle es sich um eine Sibylle, die mit dem apollonischen Kult in Zusammenhang gebracht wurde.

In einer homerischen Hymne an Apollon wird vom Ursprung der delphischen Priesterschaft berichtet. Dabei wird die Verbindung hervorgehoben, die in prähistorischer Zeit zwischen Delphi und Kreta bestand. Nachdem der Gott Herr von Delphi geworden war, „überlegte Apollon in seinem Herzen, wo er im felsigen Pytho die Priester finden sollte, die seinem Kult dienten, die Opfer bereiteten, die Orakel formulierten, die der Gott des goldenen Schwertes unter den Lorbeerbäumen des Parnaß erteilen wollte". Im gleichen Moment erblickte er ein aus Knossos, der Stadt des Minos, kommendes Schiff, das nach Pylos an der Westküste des Peloponnes unterwegs war. Apollon verwandelt sich in einen Delphin und wirft sich auf die Schiffsbrücke und läßt einen Wind aufkommen, der das Schiff gegen den Willen der Besatzung nach Krisa (Kirrha), den Hafen von Delphi, treibt. Hier nimmt er die Gestalt eines jungen Mannes an. Nachdem er sie nach ihrer Herkunft gefragt hat, erklärt er ihnen: „Fremde, die ihr aus dem von Bäumen umgebenen Knossos kommt, die ihr stets dort gelebt habt, ihr werdet dorthin nie zurückkehren. Eure Häuser und Frauen werdet ihr nie wieder sehen; ihr werdet hier bleiben, um meinen Tempel zu bewachen, und ihr werdet unter den Sterblichen geehrt werden, denn wisset, ich bin Apollon, der Sohn des Zeus ... Ihr werdet die geheimen Pläne der Götter erfahren, und es ist ihr Wille, daß ihr mit Ehren überschüttet werdet." Die kurze Ansprache des Gottes endet mit einer Erklärung des Namen Delphi: „Da ich in Gestalt eines Delphins auf euerem Schiff erschienen bin, werdet ihr eure Gebete an mich unter dem Namen Delphinios richten. Bereitet nun das Mahl auf euerem Schiff, und bringt den unsterblichen Olympiern ein Trankopfer dar. Wenn ihr euch ausreichend ernährt habt, werdet ihr mit mir kommen und den Päan singen bis zu meinem Tempel, zu dem ihr nun gehört." Der Päan war ursprünglich hauptsächlich ein Hymnus zu Ehren Apollons, ebenso wie die Dithyrambe ursprünglich für Dionysos bestimmt war.

Dieser Text läßt darauf schließen, daß die einfachen Priester von Pytho aus Kreta stammten und wahrscheinlich einem Gott namens Paian dienten, denn auf mykenischen Täfelchen ist die Rede von einem heilenden Gott gleichen Namens, dessen Platz wahrscheinlich Apollon eingenommen hat. Apollons Beiname *Paieon* weist wohl auf diesen Zusammenhang hin. Eigenartigerweise findet diese Überlieferung in den späteren Texten nur wenig Bestätigung. Pausanias berichtet von Karmanor aus Kreta, der Apollon, nachdem er die Schlange getötet hatte, gereinigt hat. Chrysothemis, der Sohn des Karmanor, soll der erste Sieger bei den Pythischen Spielen gewesen sein. Während man bei den großen griechischen Heiligtümern die Namen der Priesterfamilien adligen Ursprungs kennt, die mit der Verwaltung betraut waren, stellt Delphi diesbezüglich eine Ausnahme dar. Es ist die *Phratrie* der Labyaden bekannt, deren Angehörige zwar an den religiösen Festmahlen teilnahmen, aber im Apollon-Kult keinerlei Rolle gespielt zu haben scheinen. Außerdem war einer ihrer Vorfahren, Labys, ein Eunuche, dem die Aufgabe des Neokoros anvertraut war, das heißt er hatte den Tempel zu bewachen und sauber zu halten. Es war aber ein sehr untergeordnetes Amt, und es ist schwer vorstellbar, daß ein Mann adliger Herkunft eine so niedere Aufgabe übernommen hätte. Noch schwerer ist es denkbar, daß ein Eunuche überhaupt eine wenn auch noch so geringe Aufgabe im Tempel hätte übernehmen können, da bei den Griechen auch der kleinste körperliche Fehler es unmöglich machte, irgendein Priesteramt zu übernehmen. Außerdem erhebt sich die Frage, wie ein Eunuche Nachfahren gehabt haben kann.

Auch wenn anzunehmen ist, daß der Bericht von dem kretischen Schiff auf die Anwesenheit einer von Kreta stammenden Priesterschaft zurückgeht, die das Heiligtum während mykenischer Zeit verwaltete und wenn diese Priesterschaft sicher auch die „dorische Nacht" nicht überdauerte, ist es doch verwunderlich, daß sich die Labyaden keinen bedeutenderen Stammvater auswählten. Aber gerade diese Eigenart muß den Verdacht nähren, daß diese Überlieferung auf eine historische Tatsache zurückgeht, denn wenn man schon Vorfahren „erfindet", dann nicht solche, derer man sich schämen muß.

Die priesterliche Aufgabe der *Hosioi* war Vertretern der Adelsfamilien anvertraut, die ihren Ursprung direkt auf Deukalion und Pyrrha zurückführten. Deukalion war Sohn des Prometheus und Pyrrha Tochter des Epimetheus und der Pandora, der ersten Frau, die den Händen der Götter entsprang. Als Zeus beschloß, die Menschheit durch eine Sintflut zu zerstören, wollte er das Paar Deukalion und Pyrrha retten, denn sie hatten sich als einzige gerecht und gastfreundlich gezeigt. Auf den Rat des Prometheus baute Deukalion ein Boot, versah es mit den notwendigen Vorräten und bestieg es mit seiner Frau, als die Sintflut ausbrach. Neun Tage und neun Nächte lang wurde die Arche über das Wasser getrieben, bis sie schließlich am Parnaß landete. Nachdem es aufgehört hatte zu regnen, bereitete Deukalion Zeus ein Opfer. Dieser sandte ihm Hermes, um zu erfahren, was er wünschte. Deukalion bat um Gefährten, und Zeus befahl ihm und Pyrrha, die „Knochen ihrer

Terrakotta-Statuetten aus dem 12. Jahrhundert vor Christus. Sie stellen weibliche Gottheiten dar und gehören zu den ältesten archäologischen Funden dieser Gegend. Sie sind Beweis dafür, daß sich in Delphi bereits viele Jahrhunderte, bevor Apollon hier etwa im 8. Jahrhundert vor Christus heimisch wurde, eine Kultstätte befand. Die Statuetten beziehen sich wahrscheinlich auf den Kult der Erdgöttin Gaia und deren Tochter Themis, die mit Sicherheit in Zusammenhang standen mit dem hier schon vor dem 8. Jahrhundert bestehenden Orakel. Vielleicht gehörten die Statuetten zur Ausstattung des letzten der vier Tempel, die nach Pausanias seit der Zeit Mitte des zweiten Jahrtausends vor Christus nacheinander im heiligen Bezirk standen, und zwar an der Stelle, wo später der Tempel des Apollon seinen Platz hatte. Mit dem Erscheinen des Gottes Pythios (mitten im sogenannten homerischen Zeitalter) wächst, abgesehen von der religiösen Bedeutung, vor allem die politische Bedeutung des Orakels in einem solchen Maße, daß es zum Bezugspunkt für das Geschehen innerhalb der antiken – nicht nur griechischen – Welt wird. In der Odyssee *heißt es, daß es selbst König Agamemnon für notwendig hielt, das Orakel des „Phoibos Apollon bei der guten Pythia" zu befragen: eine offensichtliche Anerkennung, die auch die mächtigsten Herrscher der Zeit den Hinweisen und Ratschlägen zollten, die die Pythia in Delphi in rätselhafter Weise im Namen des Gottes erteilte.*

Mutter" hinter sich zu werfen. Sie folgten dem Befehl des Zeus und warfen Steine hinter sich, aus denen Menschen entstanden. An der Stelle, an der die Arche gelandet war, gründeten sie die Stadt Lykoreia; später siedelten sie sich am Fuße der Phädriaden, der beiden Felsenspitzen, die sich über Delphi erheben, an. Die antiken Mythologen schreiben also dem Paar eine Abstammung zu, die den verschiedenen griechischen Völkern einerseits und andererseits den Ursprüngen Delphis angemessen ist.

Einer der Neffen des Deukalion und der Pyrrha ist Delphos, Sohn der Melantho (noch einer anderen Version der Thya), der von Poseidon in einen Delphin verwandelt wurde. Auf ihn geht die Praxis zurück, die Zukunft aus dem Vogelflug zu prophezeien. Phemonoe, Tochter des Delphos, war die erste Pythia. Amphiktyon, Bruder des Delphos, war der Begründer der delphischen Amphiktyonie, von der im Zusammenhang mit der Geschichte Delphis die Rede sein wird; er führte die Wahrsagung durch das Los ein. Schließlich verbreitete Thya, die Tochter oder Großnichte des Deukalion, den Kult des Dionysos am Parnaß.

Auf diese Weise führten die Hosioi den Ursprung ihrer Familien bis zur Sintflut zurück. Der Begriff *hosios* bedeutet in religiösem Sinn das, was keinem Verbot mehr unterliegt und was dennoch ein heiliger, reiner Gegenstand bleibt. Die *Hosioi* sind die „Reinen", die „Geweihten". Ihr Name ist zwar erst für die römische Kaiserzeit nachweisbar, aber die Institution reicht zweifellos weit in die Antike zurück. Zur Zeit Plutarchs bildeten sie ein Kollegium von fünf Mitgliedern, die auf Lebenszeit aus den adligen Familien ausgewählt wurden. Sie sind es, die je nach dem Verhalten des Opfers entscheiden, ob die *hosia* gegeben ist, das heißt ob alle Verbote aufgehoben sind und die Pythia befragt werden darf. Während der dann folgenden Befragung wachen sie darüber, daß die entsprechenden Riten ordnungsgemäß durchgeführt werden.

Ihr Zustand der Reinheit wurde durch eine Art Initiation erreicht. Die Angehörigen der angesehenen Familien, die vom Schicksal dazu bestimmt waren, Hosioi zu werden, erreichten diese Würde durch eine Zeremonie, deren Höhepunkt ein Reinigungsopfer war. Die Einzelheiten dieses Opfers sind nicht bekannt. Wahrscheinlich ließen sie sich mit dem Blut des Opfertieres übergießen oder setzten den Fuß auf die abgezogene Haut des Tieres. Dem Kollegium der Hosioi stand ein Ältester vor. Unbekannt ist, ob das Amt lebenslang ausgeübt wurde oder zeitlich begrenzt war.

Das Priesteramt wurde von zwei auf Lebenszeit gewählten Männern ausgeübt. Der Ältere hatte in dem Kollegium, das sie bildeten, den Vorrang. In früherer Zeit war es mit Sicherheit anders. Das Zweierkollegium setzte sich erst während der letzten Jahrhunderte vor unserer Zeitrechnung durch und stand im Zusammenhang mit der Verarmung der Städte. Da das Priesteramt eine besondere Ehre darstellte, wurde es erkauft; um nun der Stadt zu größeren Einkünften zu verhelfen, wurde das Amt verdoppelt. Der Priester verhielt sich wie ein Mäzen und übernahm zahlreiche Ausgaben: er kam für die Erhaltung der Heiligtümer und die Versorgung derjenigen auf, die niedere Dienste im Heiligtum verrichteten. Die von der Stadt erwählten Priester konnten auch aus einer anderen Stadt stammen. Das trifft auch für Plutarch zu, der sehr großzügig die Aufgabe des Apollon-Priesters in Delphi erfüllte.

Die Priester hatten den Vorsitz bei den täglichen Opfern, die anläßlich der Zeremonien des Kultes dargebracht wurden sowie bei den Opfern, die der Orakelbefragung vorausgingen. Es gehörte zu ihrer Aufgabe, die Opfer zu bekränzen und die Trankopfer (Libation) auf den Altar zu gießen. Sie hatten ebenso die Pflege der Statue des Gottes und der heiligen Gegenstände des Tempels zu überwachen. Schließlich mußten sie die verschiedenen Feste leiten.

Die Existenz der Priester des Apollon ist erst seit Beginn des 3. Jahrhunderts vor Christus durch Inschriften bezeugt. Es handelt sich um Abschriften von Urkunden über die Freilassung von Sklaven, die in verschiedenen Heiligtümern als Inschriften anzutreffen sind. Das Heiligtum von Delphi kaufte oft Sklaven frei. Die Personen, die auf diese Weise ihre Freiheit erlangten, wurden formal zu Sklaven des Gottes, waren jedoch effektiv freie Personen, die nicht wieder versklavt werden durften. Die Priester Apollons wurden jeweils als Hauptgaranten der erworbenen Freiheit erwähnt.

Die Propheten sind die dritte Personenkategorie, die im Zusammenhang steht mit der Priesterschaft des Apollon. Der griechische Begriff „Prophet" meint einen Menschen, der von einer Gottheit inspiriert wird und dadurch in der Lage ist, die Zukunft vorauszusagen. Apollon hatte seine Prophetinnen in Patara, Argos, Didyma und Delphi; im Heiligtum am Ptoion in Böotien hatte er einen Propheten. Diesen Namen trug ebenfalls eine Kategorie von Priestern, die in den verschiedenen Heiligtümern unterschiedliche Funktionen ausübten.

Marie Delcourt und einige andere Autoren sind der Meinung, daß die Begriffe „Priester" und „Prophet" für die gleiche Funktion verwendet wurden. Sie kommen zu dieser Schlußfolgerung, weil Plutarch einen gewissen Nikandros einmal als

Elfenbeinstatuette aus dem 7. Jahrhundert vor Christus. Sie stellt Apollon mit dem Löwen dar. Die Statuette bringt eines der zahlreichen Attribute des Gottes zur Darstellung, nämlich das des Herrn der wilden Tiere, ähnlich wie seine Schwester Artemis (die Diana der Römer), die Göttin der Jagd. Apollon, der Gott mit den zahlreichen Gesichtern (in Kreta wurde er in Gestalt eines Delphins verehrt), der Sonnengott und Bogenschütze (mit seinen Pfeilen überträgt er die Pest) ist ursprünglich kein „griechischer" Gott. In der Ilias ist „Apollon, Sohn der Leto und des Zeus", der tapferste Verteidiger und Beschützer Trojas gegen die belagernden Achäer. Weil Agamemnon sich weigerte, seinem Priester Chryses die Tochter Chryseïs zurückzugeben, die von den Griechen gefangen genommen worden war, geschah es, daß Apollon „herabkam/ von den Höhen des Olymp mit großer Entrüstung/ mit dem Bogen über den Schultern und dem Köcher/ ganz geschlossen" und neun Tage lang den Tod unter den Achäern verbreitete. Im 7. Jahrhundert hatte sich die griechische Mythologie den Gott bereits völlig zu eigen gemacht und erhob ihn zum Herrn des bedeutendsten Orakels und damit praktisch zum Führer des religiösen und politischen Lebens in allen seinen Aspekten. Noch im 4. Jahrhundert, als die Sophisten bereits begannen, die Fundamente der Religion zu untergraben, machte Platon das Heiligtum des Apollon zum religiösen Mittelpunkt seines utopischen Staates.

Priester, einmal als Propheten erwähnt, als seien beide Begriffe austauschbar. Es ist andererseits aber auch möglich, daß dieser Mann in verschiedenen Abschnitten seines Lebens nacheinander diese Funktionen ausübte. Wir wissen von Plutarch selbst, daß es zu seiner Zeit viele solche Fälle gegeben hat. Es scheint, daß sie bereits im 5. Jahrhundert vor Christus vorkamen. In *Ion* von Euripides fragt eine Person den Ion, wer der Prophet Gottes sei; sie erhält zur Antwort, er sei es „für das, was die Außenwelt betrifft, während andere sich im Inneren befinden", im Tempel. Er fügt hinzu, sie säßen beim Dreifuß, seien „die Blüte des delphischen Adels" und würden durch das Los ausgewählt.

Weiterhin erfahren wir von Ion, daß der Prophet, der außen am Tor stand, die Besucher darüber informierte, an welchen Tagen das Orakel ansprechbar war, er begleitete sie, damit sie kein Sakrileg begingen, wachte darüber, daß die Ratsuchenden die Regeln des Rituals einhielten, daß die Vorbereitungsopfer vollbracht wurden und daß der Tag günstig war: nur wenn alle diese Bedingungen erfüllt waren, geleitete er sie in den Tempel. Hier wurden sie von einem zweiten Propheten in Empfang genommen, der sie in das *Adyton* (Allerheiligstes) führte, ihnen Beistand leistete und darüber wachte, daß auch hier alle Regeln eingehalten wurden. Nach anderen Quellen gehörte es ebenfalls zu ihrer Aufgabe, die von den Priestern eröffneten Orakel zu übermitteln.

Schließlich gab es noch die niedere Geistlichkeit. Die Opfernden, die *Mageiroi,* hatten die Aufgab, das Opfer zu töten, es abzuhäuten und zu zerlegen. Die *Prostates* hatten sich wohl um materielle Angelegenheiten zu kümmern, deren Natur uns unbekannt ist. Die *Neokoroi,* Seher, von denen uns nur die *Pyrkoos* bekannt sind, hatten nur die Aufgabe, die Gestalt einer Flamme zu deuten. Andere befaßten sich wahrscheinlich mit dem Losorakel. Zu diesem Zweck wurden Münzen oder Täfelchen ausgegeben, die dann geworfen werden mußten: die Buchstaben oder Zahlen, die dabei nach oben zu liegen kamen, wurden gedeutet. Es ist allerdings auch möglich, daß dieses Losorakel von der Pythia gestellt wurde, sei es als einzige Methode der Zukunftsdeutung, sei es in Verbindung mit der direkten Inspiration.

Die Pythia

Im Mittelpunkt des delphischen Kultes steht die Pythia. Es ist daher sehr merkwürdig, daß sie in der homerischen Hymne an Apollon nicht erwähnt wird, während die Ankunft der kretischen Priester ausführlich beschrieben wird. Eine derartige Auslassung könnte darauf schließen lassen, daß die Pythia, die von einem Gott besessen ist und in einem Trancezustand orakelt, ursprünglich wahrscheinlich dem Dionysos-Kult und nicht dem des Apollon zugeordnet war. Sie wäre dann mit Dionysos und nicht mit Apollon in Delphi erschienen. Diese These wird von Erwin Rohde vertreten, der hervorhebt, daß „diese Kunst des Inspirationsorakels, die ihren Ursprung in Delphi hat, sich von der antiken apollonischen Kunst der Zeichendeutung unterscheidet und eher im Zusammenhang steht mit der Wahrsagekunst des älteren thrakischen Dionysos-Kultes." Das bedeutet, daß die Formen der Weissagung im Zustand der Besessenheit, wie sie Kassandra, die Priesterin von Patara, ausübte, und auch die Sibylle, eine Prophetin, die eindeutig aus Kleinasien stammt, nach der in Delphi ein Felsen benannt ist und deren Ruhm bis nach Libyen und vorallem nach Cumae, der ältesten griechischen Kolonie in Italien, reichte, nicht mit Apollon im Zusammenhang stehen.

Nach späteren Überlieferungen ist die Pythia von Anfang an in Delphi ansässig gewesen. Wie bereits erwähnt, war Phemonoe die erste Pythia von Delphi (es handelt sich wohl um einen symbolischen Namen, denn *pheme* bedeutet „Offenbarung", „Orakel" und *noos* „Geist"). Sie wurde als Tochter des Delphos und der Nymphe Kastalia, aber auch als Tochter Apollons selbst angesehen. Diodorus Siculus, ein Geschichtsschreiber des 1. Jahrhunderts vor Christus, übermittelt uns ebenfalls eine interessante Information über die delphische Mantik und Pythia.

Er berichtet: „In einer alten Überlieferung heißt es, daß dieses Orakel von Ziegen ausfindig gemacht wurde. Aus diesem Grund wird noch heute von den Delphiern vor der Befragung der Pythia fast immer eine Ziege geopfert. Über die Art und Weise, wie dieses Orakel entdeckt wurde, wird folgendes berichtet: an der Stelle des *Adyton* (Allerheiligstes) des Tempels befindet sich eine tiefe Öffnung im Boden. Einige Ziegen kamen in diese Gegend, als Delphi noch nicht existierte. Als sie sich der Öffnung näherten und sich vorbeugten, beobachtete man, daß sie von einem Schwindelgefühl erfaßt wurden, eigenartig herumtaumelten und ungewöhnliche Laute ausstießen. Es wurde beobachtet, daß der Hüter der Ziegen, der sich über dieses Phänomen wunderte und sich seinerseits der Öffnung genähert und in die Tiefe geschaut hatte, ebenfalls von einem Schwindelgefühl befallen wurde. Schließlich schienen Tiere wie Menschen von der göttlichen Inspiration erfaßt zu sein, und der Hirte hatte tatsächlich durch die aus dem Boden

Das Heiligtum des Apollon Pythios: 1 Haupttor (links vom Eingang befindet sich eine Basis, auf der sechzehn Bronzestatuen standen, die nach Pausanias Werke des Phidias waren; einige Wissenschaftler sind der Meinung, daß die beiden im Meer bei Riace in Kalabrien gefundenen Kriegerstatuen zu diesen Geschenken der Athener gehörten); 2 Via Sacra; 3 von den Spartanern in Erinnerung an die Schlacht von Aigospotamoi errichtetes Denkmal; 4 Denkmal der Könige von Argos; 5 Denkmal der sieben Epigonen von Argos; 6 Schatzhaus von Sikyon; 7 Schatzhaus von Siphnos; 8 Schatzhaus von Athen (in Erinnerung an den Sieg bei Marathon); 9 Buleuterion oder Senat; 10 Felsen der Sibylle; 11 Heiligtum der Gaia; 12 Halle der Athener; 13 Schatzhaus von Korinth; 14 Schatzhaus von Kyrene; 15 Prytaneion; 16 Dreifuß von Plataiai; 17 Wagen der Rhodier; 18 Großer Altar; 19 Denkmal des Lucius Aemilius Paullus; 20 Apollon-Tempel; 21 Attalos-Halle; 22 Weihgabe Daochos II.; 23 Fundstelle der Statue des Wagenlenkers; 24 Theater; 25 Kassotis-Quelle; 26 Lesche von Knidos mit dem von Polygnotos verzierten Peristyl.

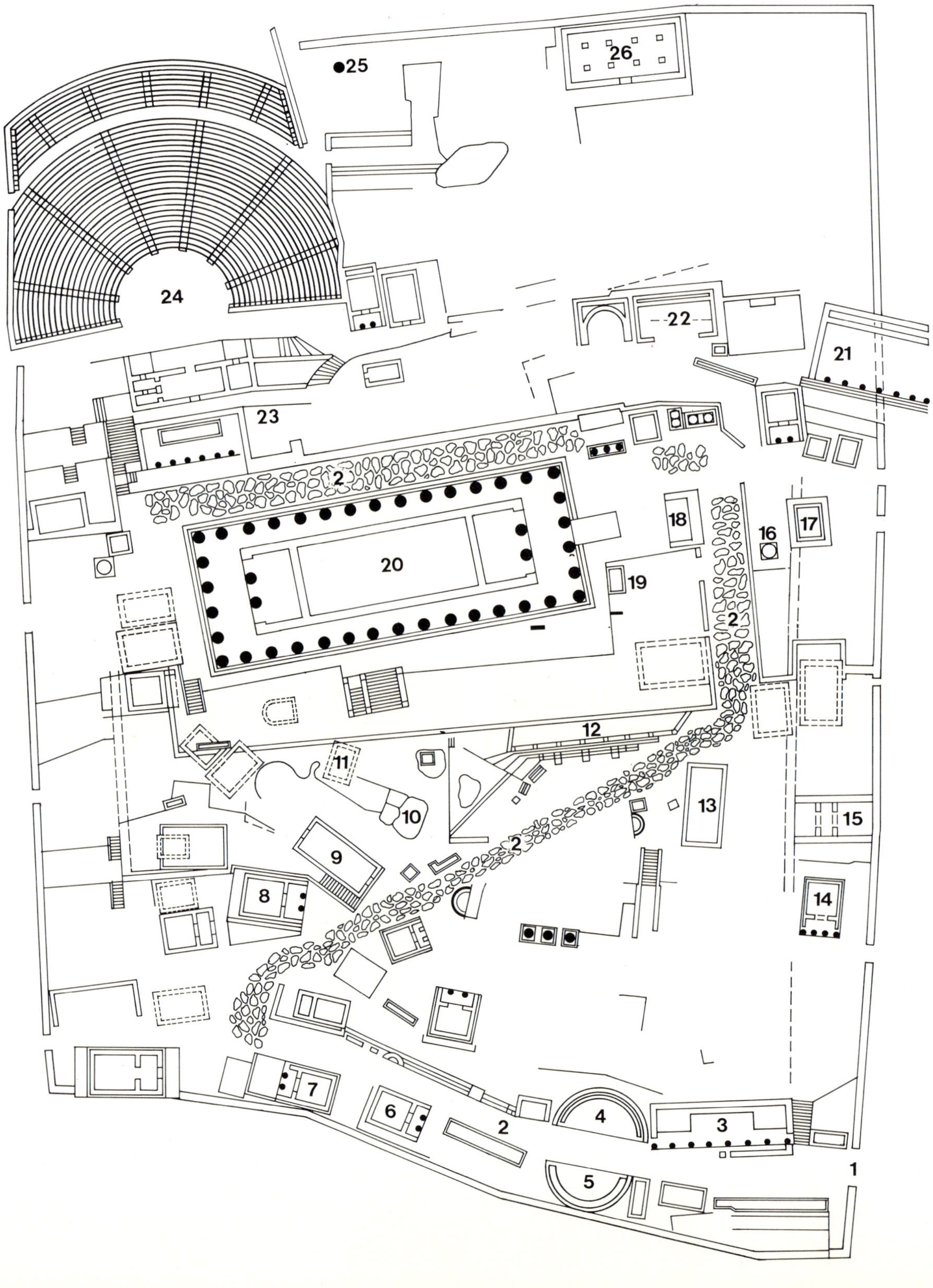

Überreste des Apollon-Tempels. Im Adyton, *dem unterirdischen Raum des Tempels, verkündete die Pythia ihre Orakel. Bevor die Ratsuchenden das Orakel befragen durften, mußten sie sich an der Kastalia-Quelle gereinigt haben; daraufhin hatten sie den Pelanos, eine Steuer, zu zahlen, der ursprünglich aus Naturalien bestand und später in eine Geldspende umgewandelt wurde. Schließlich mußten eine Reihe von Vorbereitungsriten begangen werden, die am großen Altar des Apollon vor dem Eingang des Tempels begannen. Nach dem Opfer, das von den Priestern gedeutet wurde und dem Gott nicht immer genehm war, wurden die Ratsuchenden in den* Oikos *gelassen, einen neben dem* Adyton *gelegenen Raum. Hier fand die Befragung statt. Wie die Fragen gestellt wurden, ist nicht mit Sicherheit bekannt. Nach der Mehrzahl der Quellen wurden sie mündlich und direkt gestellt; aus anderen Quellen geht hervor, daß sie schriftlich auf einem Täfelchen vorgelegt wurden. Die Antwort der Pythia, die von einem Dreifuß aus prophezeite, der über einem Felsspalt (oder einer Grube) stand, aus dem das Orakel „sprach“, wurde von den Priestern aufgenommen, die es an die Propheten zur Formulierung einer mehr oder weniger klaren Antwort weitergaben.*

Bronzestatuetten junger Athleten aus archaischer Zeit (links aus dem 7., rechts aus dem 6. Jahrhundert). Bei den frontal dargestellten Statuetten wird versucht, möglichst vollkommen das Ideal eines athletischen Mannes darzustellen.
Während dieser Zeit wurde das Orakel von Delphi zum bedeutendsten kulturellen Mittelpunkt Griechenlands. Um die Kontrolle über das Heiligtum entbrannten Kämpfe, die zum Auseinander-

strömenden Dämpfe die Fähigkeit erlangt, die Zukunft vorauszusagen.
Die Nachricht von diesem Wunder verbreitete sich langsam in der Umgebung, und es kamen immer mehr Neugierige, denn diejenigen, die den Ort besucht hatten, wurden von dem Gott inspiriert. Alle diese Umstände verliehen diesem Orakel, das ursprünglich für ein Orakel der Gaia gehalten wurde, großes Ansehen. Einige Zeit spielten sich die Dinge hier folgendermaßen ab: diejenigen, die beabsichtigten zu prophezeien, hielten sich am Rand der Öffnung auf und gaben sich gegenseitig die ihnen mitgeteilten Orakel weiter. Da jedoch in dem Durcheinander jemand in den Abgrund stürzte und nicht mehr zurückkehrte, hielten es später die Bewohner der Umgebung für angebracht, eine Prophetin einzusetzen, die allein die Orakel verkündete. Auf diese Weise sollten ähnliche Unfälle vermieden werden. Es wurde eine Art Apparat gebaut, mit dessen Hilfe sie sich gefahrlos über die Öffnung beugen konnte, um die Inspiration zu empfangen und denen das Orakel zu erteilen, die gekommen waren, um sie zu befragen. Dieser Apparat besaß drei Stützen; von da leitet sich der Name Dreifuß ab, ein Name, der später auf alle Gegenstände übertragen wurde, die diesem Dreifuß nachgebildet waren, insbesondere der bronzene Dreifuß, der noch heute benutzt wird ... Es heißt, daß die Prophetinnen der Vergangenheit Jungfrauen waren, die wegen ihrer körperlichen Unberührtheit ausgewählt wurden; damit waren sie der Göttin Artemis gleich – eine günstige Voraussetzung für die Geheimhaltung der Orakel, die nicht verbreitet werden durften. Aber vor nicht allzu langer Zeit sah ein Thessalier namens Echekrates, der zur Befragung des Orakels erschienen war, die Jungfrau, die ihm die Antwort erteilen sollte. Beim Anblick ihrer Schönheit verliebte er sich in sie, raubte und schändete sie. Wegen dieses Verbrechens wurde von den Delphiern ein Gesetz erlassen, das bestimmte, daß keine Jungfrau mehr zur Verkündung des Orakels zugelassen werden darf. Diese Funktion sollte von nun ab von einer über fünfzigjährigen Frau erfüllt werden, die jedoch in Erinnerung an die ersten Prophetinnen wie ein Mädchen gekleidet war."
Dieser Bericht von Diodorus erscheint möglicherweise einigen modernen Autoren als eine einfache Erzählung, ist jedoch nicht ohne Interesse. Wir wissen, daß Diodorus Siculus oft Mythos und Geschichte, Legende und Wirklichkeit vermengt hat. Aber in diesem konkreten Fall ist anzunehmen, daß er die Tatsachen so dargestellt hat, wie man sie in der Gegend des Heiligtums erzählte, und wie sie von allen nachgeprüft werden konnten. Das, was uns in diesem Zusammenhang besonders

brechen von Bündnissen, aber auch zur Festigung der Vormachtstellung der einen oder anderen Macht führten. Starke wirtschaftliche Interessen waren die Ursache dafür, daß die Städte Griechenlands versuchten, die politische Macht über das Heiligtum zu erlangen. Es wechselten sich Athen, Sparta und Theben ab, nie jedoch konnte diese Vormachtstellung über das Heiligtum lange Zeit behauptet werden.

interessiert, ist nicht der Ursprung des Orakels, sondern die Gestalt der Pythia und ihre Wahl. Wahrscheinlich wurde die Pythia unter den Frauen Delphis ausgewählt, und zwar ohne Berücksichtigung der sozialen Herkunft – was aus anderen Texten hervorgeht. Anfänglich waren auch keine besondere Eigenschaften, die sie von den anderen Frauen unterscheiden, erforderlich. Das Kriterium der Jungfräulichkeit konnte mit dem daraus folgenden Zustand der Reinheit gerechtfertigt werden und damit, daß die Pythia ursprünglich als die Gattin des Gottes betrachtet wurde. Dies war jedoch offensichtlich von zweitrangiger Bedeutung, denn nach dem Verbrechen des Echekrates wurde ohne Schwierigkeit beschlossen, eine Frau fortgeschritteneren Alters für das Amt der Pythia zu wählen. Die zweite Behauptung des Diodorus wird ebenfalls durch zahlreiche Zeugnisse bestätigt; es heißt, daß die Inspiration aus dem Erdspalt (Chasma) aufstieg und daß man sich nur über die Spalte zu beugen brauchte, um vom Gott besessen zu werden. Es ist daher auch möglich, daß Pythia die erste Frau war, die hier vorbeikam. Außerdem stellt sich die Frage, warum eine Frau als Prophetin gewählt wurde, da doch das Orakel ebenso gut durch einen Mann verkündet werden konnte, wie es bei dem ebenfalls Apollon geweihten Heiligtum von Klaros der Fall war. Die Tatsache, daß auch nach dem Zwischenfall mit Echekrates die Delphier nicht daran dachten, einen Mann an den Dreifuß zu stellen, und daß die bereits ältere Frau auch weiterhin jugendliche Kleidung trug, sind Argumente zugunsten der These, daß die Pythia ursprünglich als die Braut des Gottes betrachtet wurde.

Antike Darstellungen zeigen uns die Pythia auf dem Dreifuß oder auch auf einem auf dem Dreifuß stehenden Zylinder sitzend. Der Dreifuß wird oft auf Vasen dargestellt, im allgemeinen mit einem Zylinder, in dem Apollon selbst sitzt. Der Dreifuß, der auch bei Kulthandlungen Verwendung fand, stand nur in Delphi mit dem Orakel in Zusammenhang. Wie Diodorus erklärt, war der Dreifuß wahrscheinlich in erster Linie ein Hilfsmittel, um sich über den Erdspalt beugen zu können, aus dem die „Inspiration", oder genauer der „Hauch", das *Pneuma,* aus dem Abgrund aufstieg. Worum handelt es sich bei diesem *Pneuma?* Einige Autoren betrachten es als einen Gasaustritt, der die Pythia in Trance versetzte. Man muß sich aber fragen, welches aus der Erde aufsteigende Gas in der Lage sein könnte, einen Trancezustand zu bewirken. Und von woher hätten diese Gase kommen sollen, da bei den Ausgrabungen im Apollon-Tempel bewiesen wurde, daß es keinen Erdspalt gibt, aus dem Gase hätten aufsteigen können.

Links: Bronzekopf eines Greifs aus dem 7. Jahrhundert vor Christus. Rechts: Bronzenes Weihrauchgefäß aus dem 5. Jahrhundert. Der Kopf ist ein Weihgeschenk, das Gefäß ein Kultgerät; beide gehören zu den zahlreichen archäologischen Funden, die in Delphi gemacht wurden und im Museum am Fuße des Heiligtums aufbewahrt werden. Die systematischen Ausgrabungen in Delphi begannen erst 1892 und wurden von der Französischen Archäologischen Schule geleitet. Um die Arbeit der Experten zu ermöglichen und die Ruinen des Heiligtums ausgraben zu können, ließ die griechische Regierung, das kleine Dorf Kastri, das in diesem Gebiet lag, verlegen. Auf diese Weise wurde die Tempelanlage des berühmten religiösen und politischen Zentrums des antiken Griechenlands zugänglich.

Georges Roux hat für das schwierige Problem des delphischen *Chasma* eine elegante Lösung gefunden. Er vermutet, daß der griechische Begriff *Chasma ges* mit „Öffnung im Boden" übersetzt werden muß und nicht mit „Spalt im Felsen", wie man es bisher geneigt war zu tun. Das *Adyton,* in das die Pythia hinabstieg wäre dann nichts als eine „einfache, viereckige, nicht sehr tiefe Grube" gewesen; wie aus zahlreichen Texten bekannt ist, konnte die Pythia die den Tempel betretenden Besucher sehen, was darauf schließen läßt, daß die Grube nicht tiefer als etwa 1,20 Meter war.
Heute befindet sich der gewachsene Fels etwa 6 Meter unter dem Fußboden des Tempels. In der Erdschicht zwischen dem Felsen und dem Tempelboden wurden in der Nähe der Fundamente des Opisthodomos, das heißt im hinteren Teil des Tempels, an der Rückseite des *Naos,* zahlreiche Scherben mykenischer Gefäße gefunden. Die Erdschicht war also mächtig genug, um im *Adyton* eine Grube anzulegen, über der dann der Dreifuß aufgestellt werden konnte. Die Öffnung dieser Grube muß ziemlich klein gewesen sein, wenn darüber der Dreifuß aufgestellt werden sollte und wenn sie bis auf den Felsen reichte, war sie über 4 Meter tief. Wie Georges Roux bemerkt, „hinterläßt nichts weniger Reste, als ein Loch". Dadurch erklärt sich auch, warum keine Spuren davon gefunden wurden, denn die Grube konnte, nachdem das Heiligtum verlassen worden war, sehr gut sowohl von den Christen als auch von den dort ansässigen Bauern beim Bau eines Dorfes, das noch bis ins vergangene Jahrhundert, bevor mit den Ausgrabungen begonnen wurde, existierte, zugeschüttet worden sein. Das bedeutet jedoch nicht, daß die Grube von den ersten Betreuern des Orakels angelegt wurde. Wahrscheinlich ist, daß sie bereits aus früherer Zeit stammte, und daß ihre Existenz ausschlaggebend dafür war, daß das Orakelheiligtum hier und nicht an einem anderen Ort errichtet wurde. Georges Roux dachte an ein verlassenes mykenisches Grab; aber sowohl die Überlieferung als auch arachäologische Funde weisen noch weiter in die Vergangenheit zurück, denn wahrscheinlich existierte bereits in mykenischer Zeit an dieser Stelle ein Orakel. Es könnte sich daher eher um eine Opfergrube handeln, einen *Bothros,* wie ebenfalls Georges Roux vorschlägt. Ähnliche *Bothroi* aus der Zeit der letzten Jahrhunderte des 3. Jahrtausends wurden auch in anderen Gegenden Griechenlands gefunden. Allerdings existieren keinerlei archäologische Funde, die dar-

auf schließen lassen, daß diese Gegend zu so früher Zeit bewohnt war. Tonscherben bezeugen für den Beginn des 2. Jahrtausends die Existenz einer Siedlung oder vielleicht einer zeitweiligen Anwesenheit von Hirten im Gebiet des späteren Delphi.

Auf jeden Fall ist die Erklärung des *Pneuma* als irgendein aus der Erde strömendes Gas nicht haltbar. Bei diesem geheimnisvollen „Hauch" scheint es sich eher um einen „Hauch" geistigen Charakters gehandelt zu haben. In seinem Dialog über die verschwundenen Orakel *(De defectu oraculorum, 40)* erklärt Plutarch, daß „es sich bei der Wahrsagung um einen himmlischen Hauch handelt, um ein Überströmen der Gottheit, sowohl wenn man über die Luft direkt mit ihr in Verbindung tritt, als auch über das feuchte Element (das Wasser einer Quelle oder eines Flusses). Wenn er den Körper trifft, bewirkt er in der Seele eine außergewöhnliche Empfänglichkeit, deren Wesen nur schwer zu beschreiben ist..."

Die Trance der Pythia

Wie verhielt sich die Pythia, wenn sie derart vom göttlichen Geist besessen war? Die Zeugnisse hierüber widersprechen sich oder geben unterschiedliche Erregungszustände wieder, denn die Pythia prophezeite in den meisten Fällen in einem Zustand der Ekstase. Lukan, der wie es scheint, nie in Delphi gewesen ist, beschreibt in der *Pharsalia* die folgende Szene: „Die rasende Priesterin schüttelt das benommene Haupt und windet sich in ihrer Höhle: von ihrer zerzausten Stirn fallen die heiligen Bänder und die Kränze des Phoibos. Vom Schwindel erfaßt, kreist sie in der Leere des Tempels; mit ihren unsicheren Schritten stößt sie gegen die Dreifüße und stößt sie um, ein ungeheures Feuer brennt in ihren Adern. Phoibos, das ist der Zorn, der sie gefangenhält: Peitsche und Sporne genügen ihr nicht ... Nun stößt die Brust der Jungfrau gegen die Tore, die sich öffnen; sie stürzt aus dem Tempel hinaus, aber die Erregung läßt nicht nach. Sie hat nicht alles gesagt, und der Gott, den sie nicht zu verjagen imstande war, hält sie weiter gefangen. Er ist es, der noch in ihren finsteren Augen kreist, die am Himmelsgewölbe herumirren. Ihr Gesichtsausdruck wandelt sich ständig, es wechseln Angst und Drohung; feuriges Rot färbt ihr Gesicht und ihre fahlen Backen; ihre Blässe rührt nicht von der Angst her, sondern von dem Erfaßtsein... Paieon hat in ihre Eingeweide die höllische Lethe geschüttet, um ihr das Geheimnis der Götter zu entreißen. Nun entweicht das Geheimnis ihrer Brust, und die Prophetin kehrt zurück zum Dreifuß des Phoibos. Sobald die Jungfrau wieder zu sich gekommen ist, fällt sie um."

Diese Pythia, die in der Trance ihren Dreifuß verläßt, steht den Darstellungen der Pythia auf attischen Vasen aus dem 5. Jahrhundert sehr fern. Hier erscheint sie der Themis ähnlich, der Göttin der delphischen Gerechtigkeit, aber auch einer der ersten Bewohnerinnen des delphischen Heiligtums, die Apollon die Kunst des Wahrsagens gelehrt haben soll; sie sitzt majestätisch auf dem Dreifuß, in der Hand einen Lorbeerzweig und eine Phiale (flache Schale), während sie Aigeus das Orakel verkündet. Die Besessenheit der Pythia, die *Mania,* von der Platon spricht, darf andererseits auch nicht angezweifelt werden. Sie äußert sich als Trancezustand, in dem die Pythia prophezeite. Mit Sicherheit aber äußerte sich die Besessenheit nicht in einer Raserei, wie sie Lukan dichterisch, auf dramatische Wirkung bedacht, beschreibt.

Wodurch wurde die Pythia bei ihren Prophezeiungen inspiriert? Begnügte sie sich, wie einige Wissenschaftler (insbesondere P. Amandry) behaupten, damit, Lose zu ziehen, aus denen dann die Priester die Zukunft voraussagten? Zu viele antike Zeugnisse widersprechen dieser zu rationalistischen Erklärung, als daß sie ernsthaft in Betracht gezogen werden könnte. Der Trancezustand, in dem sich die Pythia befindet, ist vergleichbar mit dem Zustand, der bei Medien in spiritistischen Sitzungen beobachtet wird. Dies geht hervor aus sehr glaubhaften Zeugnissen, wie denen des Heraklit von Ephesos, des Platon und vor allem des Plutarch, der als Priester des Heiligtums oft genug Gelegenheit hatte, den Befragungen beizuwohnen; aber abgesehen von den vielen Scharlatanen, ist es nicht das Medium, das aktiv wird. Es scheint, daß die Pythia keinerlei besondere Veranlagung besaß, die sie zu Weissagungen befähigte. Sie war lediglich ein Instrument des Gottes, der sich durch sie kundtat. Einige antike Autoren – und in ihrem Gefolge die christlichen Polemiker – haben den Trancezustand der Pythia als dämonische Besessenheit gedeutet.

Tatsächlich bleibt jeder Versuch, das Phänomen der Prophetie rational zu erklären, unbefriedigend. Am wenigsten akzeptabel ist die Erklärung, die in der Inspiration der Pythia nichts als einen großartigen Betrug sieht, als eine Anmaßung der delphischen Priester, die sich über ein Jahrtausend halten konnte. Damit wird nicht nur ein Beweis geliefert für einen anmaßenden Rationalismus, sondern auch für eine völlige Unkenntnis der religiösen Mentalität des antiken Menschen, und es wird nicht bedacht, daß im Menschen auch Irrationales existiert: Vernunft und spekulative Intelligenz sind nur Teil-

Keramik mit der Darstellung des Apollon, der ein Trankopfer ausgießt. Es handelt sich um die Innenverzierung eines in Delphi gefundenen Kelches (Kylix), *der aus den Jahren 480–470 vor Christus stammt. Der in majestätischer Haltung dargestellte Gott trägt Peplos und Tunika, eigentlich eine typisch weibliche Kleidung. In der linken Hand hält er die Kithara, mit der rechten Hand gießt er das Trankopfer aus. Die Kithara gehört zu den Attributen Apollons und symbolisiert den Rhythmus und die Harmonie, die sein Instrument in der strahlenden Heiterkeit des Olymp verbreitet. Ihm gegenüber steht der ihm heilige Vogel, eine Krähe, mit größerer Wahrscheinlichkeit aber eine Taube. Das Trankopfer bestand aus Wein, Honig, Milch und Wasser und wurde über oder unter den Altar gegossen. Bei unterirdischen Kultstätten wurde es in eine Grube geschüttet.*

Oben: Rekonstruktion der Fassaden einiger Schatzhäuser von Delphi: oben links das Schatzhaus von Kyrene, oben rechts das Schatzhaus von Knidos, in der Mitte links das Schatzhaus von Siphnos, daneben das Schatzhaus von Athen; unten das Schatzhaus von Sikyon.

Rechts: Ausschnitt aus dem Fries an der Nordseite des Schatzhauses von Siphnos, der den Kriegsgott Ares (den Mars der Römer) darstellt, der gegen Giganten kämpft. Der im Museum von Delphi aufbewahrte Fries stammt etwa aus dem Jahre 525 vor Christus. Es handelt sich um eine Episode aus der Gigantomachie, dem siegreichen Kampf der Götter gegen die Giganten. Die Schatzhäuser Delphis sind Gebäude, die von den einzelnen Stadtstaaten und Völkern dem Gott Apollon gewidmet wurden. Sie standen entlang der Via Sacra, die vom Haupteingang bis zum Apollon-Tempel führte. In diesen Häusern wurden die Weihgeschenke, die Opfergaben und die Kultgegenstände, die von Privatpersonen oder der Stadt dem Gott dargebracht wurden, aufbewahrt. Diese nicht sehr großen Schatzhäuser sind Beweis nicht nur für die Frömmigkeit, sondern auch für den Reichtum derer, die sie erbaut hatten. Auf dem hier abgebildeten Fries sind die Giganten als einfache Soldaten mit griechischer Rüstung und korinthischem Helm dargestellt, vielleicht eine Andeutung auf die heftigen Kämpfe zwischen den griechischen Städten um die Vorherrschaft über das Orakel.

aspekte der Wirklichkeit. Es ist sicher klüger zuzugeben, für das Phänomen des delphischen Prophetismus keine logische Erklärung geben zu können.

Die Befragung des Orakels

Die Befragung des Orakels setzte eine Reihe einleitender Riten voraus und war nur sehr selten möglich. Anfangs war der Tempel nur einmal jährlich für die Befragung geöffnet, und zwar am siebten Tag des Monats Bysios (Februar-März). Es war das Geburtstagsfest Apollons, ein besonders festlich begangener Tag, an dem man die Rückkehr Apollons von seinem dreimonatigen Aufenthalt bei den Hyperboreern sowie die ersten Blüten des Frühlings feierte.
In späterer Zeit, man weiß nicht genau seit wann, fanden die Befragungen einmal im Monat statt, mit Sicherheit jeweils am siebten Tag, da dies die dem Apollon heilige Zahl war. Die Sitzungen wurden unter dem geistigen Vorsitz Apollons während der neun Monate abgehalten, in denen er nach Auffassung der Griechen im Heiligtum anwesend war. Während der drei Wintermonate übernahm Dionysos den Vorsitz. Allerdings bezweifeln einige Autoren, daß während der drei Wintermonate überhaupt Befragungen stattfanden.
Abgesehen von diesen regelmäßigen Befragungen, bei denen der Tempel der Allgemeinheit offenstand – sowohl für Privatleute als auch für die Vertreter der Städte oder der benachbarten Reiche –, fanden auch außer der Reihe Befragungen statt. In der Literatur wird von einigen dieser Befragungen berichtet. Die bekanntesten Befragungen dieser Art sind zweifellos die des Lyderkönigs Kroisos und die Alexanders des Großen.
Kroisos, der Mitte des 6. Jahrhundert vor Christus herrschte, war wegen seines ungeheuren Reichtums weithin berühmt. Bevor er sich bei einem der griechischen Orakel Rat holte, wollte er die verschiedenen griechischen Orakel auf die Probe stellen. Er sandte Boten aus mit dem Auftrag zu fragen, womit er sich selbst zum Zeitpunkt der Befragung beschäftigte. Die Befragung sollte am hundertsten Tag nach ihrere Abreise von Sardes, der Hauptstadt Lydiens, stattfinden. Die Tatsache, daß Kroisos selbst den Zeitpunkt der Befragung festlegte, läßt

Ausschnitt aus dem Fries von der Ostseite des Schatzhauses von Siphnos (Museum von Delphi). Es handelt sich wahrscheinlich um eine Darstellung des Äneas, der Hektor im Kampf gegen Menelaos zu Hilfe kommt, eine Episode aus der Ilias.

darauf schließen, daß diese jederzeit möglich war. Herodot gibt in seinem Bericht über diesen Vorgang die berühmt gewordene Antwort des Orakels von Delphi wieder.
„Keiner weiß in diesem Moment, was anderswo geantwortet wurde; sobald aber die Boten aus Lydien den Tempel betreten hatten, wandten sie sich an den Gott mit der Frage, die ihnen aufgetragen worden war, und die Pythia antwortete ihnen in Hexametern: ‚Ich kenne die Anzahl der Sandkörner und das Ausmaß des Meeres; mich verstehen die Tauben, und ich verstehe die Stummen. Der angenehme Geruch der Schildkröte mit den harten Panzerschuppen durchdringt meine Sinne, gekocht im Kupfer mit dem Fleisch des Lammes. Das Kupfer unten bedeckt die Erde und Kupfer bedeckt sie.‘ Nachdem sie diese Antwort der Pythia niedergeschrieben hatten, machten sich die Lydier auf den Weg und kehrten nach Sardes zurück. Sowie die anderen Boten mit den Orakeln zurückkehrten und ihm gegenübertraten, öffnete sie Kroisos und las, was geschrieben stand. Keine Antwort war ihm recht; als er aber die aus Delphi vernahm, betete er und glaubte sie; er behauptete, Delphi sei das einzige echte Orakel, denn es hatte erraten, was er zu dem festgelegten Zeitpunkt getan hatte. Nach der Abreise seiner Boten war ihm der Gedanke gekommen, etwas zu tun, was niemand ahnen konnte: er hatte eine Schildkröte und ein Lamm in Stücke geschnitten und sie zusammen in einem Kupfertopf mit einem Kupferdeckel kochen lassen..."
Plutarch berichtet in seiner Biographie Alexanders des Großen, dieser habe sich vor seinem großen Feldzug gegen die Perser aufgemacht, um das Orakel zu befragen. Plutarch versichert: „es waren gerade die ungünstigsten Tage, während derer man keine Orakel verkünden sollte." Ein anderer hätte mit der Befragung auf den festgesetzten Tag gewartet, denn es gab Tage, an denen sich die Pythia ausruhte, aber auch Tage, an denen man die Befragung vermeiden sollte. Das hinderte jedoch den künftigen Eroberer Asiens nicht, sich der Pythia zu bemächtigen, sie mit Gewalt ins Heiligtum zu zerren, so daß sie schrie: „Du bist unbesiegbar, mein Sohn". Mehr wollte Alexander nicht hören, er nahm diesen Ausruf als ein Orakel.
Da reguläre Befragungen nur an wenigen Tagen stattfanden, war der Andrang meist sehr groß. Zur Zeit, als das Heiligtum seinen größten Ruhm erreichte, das heißt zwischen dem 6. und 3. Jahrhundert vor Christus, nahm die Menge der Frager solche Ausmaße an, daß eine zweite Pythia sowie eine Hilfspythia ernannt werden mußten, die sich ständig auf dem Dreifuß abwechselten. Es wurde sogar ein Protokoll niedergeschrieben, in dem festgelegt wurde, wer bei der Befragung den Vorrang hatte. An erster Stelle standen die Einwohner von Delphi, dann kamen die Angehörigen der delphischen Amphiktyonie, dann die Bewohner der anderen griechischen Städte, zusammengefaßt nach Bevölkerungsgruppen oder nach geographischem Gesichtspunkt; schließlich kamen die Barbaren, das heißt die Nachbarvölker, die andere Sprachen als das Griechisch sprachen. Diese Reihenfolge konnte jedoch auch durch eine Promantie abgeändert werden, durch die Städte, Völker oder auch Privatpersonen den Vortritt erhielten. Kroisos, und mit ihm das gesamte Volk Lydiens, erlangte diese Promantie als Ausdruck der Dankbarkeit für die reichen Geschenke, die dem Heiligtum überbracht worden waren. Durch die Promantie wurde das Vortrittsrecht nur gegenüber den anderen Ratsuchenden der gleichen Kategorie erteilt. Kroisos erlangte somit den Vortritt gegenüber allen anderen Barbaren, nicht aber gegenüber den Griechen.
Zweifellos war es der Prophet, der die Rechte eines jeden Befragers überprüfte und die Reihenfolge festlegte, in der ein jeder vortreten durfte. Bevor der Befrager Zutritt zum Tempel erlangte, mußte er sich in der Kastalia-Quelle reinigen. Dann hatte er eine Gebühr, *Pelanos* genannt, zu zahlen. Ursprünglich handelte es sich hierbei um ein Opfer in Form von Naturalien (ein Kuchen oder ein Fladen). Bald wurde diese Gebühr jedoch in Münzen verlangt, deren Summe von Stadt zu Stadt verschieden war; Privatleute hatten weniger zu zahlen als die Städte. Daraufhin mußte in Erfahrung gebracht werden, ob der Tag der Befragung günstig gewählt und ob der Gott bereit war, seine Orakel zu verkünden. Zu diesem Zeitpunkt traten die Hosioi in Erscheinung. Zu diesem Zweck wurde ursprünglich der Vogelflug gedeutet; später beobachtete man das Verhalten der Opfertiere, bei denen es sich um Stiere, Wildschweine und hauptsächlich Ziegen handelte. Dem Stier gab man Mehl, den Wildschweinen Erbsen zu fressen: weigerten sie sich, das Futter anzurühren, betrachtete man sie als unrein, und weder das Opfer noch die Befragung konnte stattfinden. Die Ziegen wurden mit kaltem Wasser übergossen; wenn sie dann zitterten, wurde die Pythia herbeigeführt. Früher wurde das vom Befrager gelieferte oder bezahlte Tier geopfert und vollständig verbrannt; nur das Fell wurde ausgenommen und an die Priester des Heiligtums übergeben. Wahrscheinlich war es erforderlich, auch der Athena ein Opfer darzubringen, sicher deshalb, weil sie die ursprüngliche Göttin des Heiligtums war.
Nach diesen Handlungen wurde der Befrager in den Tempel eingelassen und zum *Adyton* geführt, wobei er wahrscheinlich

Marmorstatue eines Philosophen oder eines Priesters des Apollon aus dem 3. Jahrhundert vor Christus. Sie wurde bei Ausgrabungen im Gebiet von Delphi gefunden und wird im örtlichen Museum aufbewahrt. Sie ist wahrscheinlich das Werk eines attischen Bildhauers und stammt aus einer Zeit, in der die ersten Zeichen des Niederganges des Heiligtums spürbar werden, ein Niedergang, der im Laufe der folgenden Jahrzehnte unaufhaltsam fortschreitet. Ob die Ursache hierfür in der Krise der hellenischen Religiosität oder im endgültigen Zusammenbruch der politischen und kulturellen Ideale lag, die charakteristisch für das klassische Griechenland waren, ist schwer zu sagen. Nicht vergessen werden darf, daß das vorhergehende Jahrhundert den kometenhaften Aufstieg Alexanders des Großen von Makedonien gebracht hatte. Wahrscheinlich ist es ein Zusammenspiel der politischen und religiösen Faktoren, die das Ende Delphis bewirkten.

Folgende Seite: Marmorstatue eines Jünglings aus dem 3. Jahrhundert vor Christus.

noch ein letztes Opfer darzubringen hatte. Vielleicht bestand es auch aus einem Teil des Opfertieres, der auf einen heiligen Tisch in der Nähe des *Adyton* gelegt wurde. Georges Roux stellt sich den Vorgang im Tempel folgendermaßen vor: die Befrager saßen auf einer Bank an einer Seitenwand des *Adyton*, von der aus sie den Eingang des Tempels im Auge hatten; die Pythia war jedoch durch einen Vorhang ihren Blicken entzogen. Auch die Pythia sah den Befrager nicht, war aber von allen anderen Seiten des Tempels aus sichtbar. Die Pythia hatte sich ebenfalls in der Kastalia-Quelle gereinigt und das Ritualgewand, einen einfachen Peplos ohne Verzierung, angelegt. Man weiß auch, daß sie den im *Adyton* angepflanzten heiligen Lorbeerbaum schüttelte, einige Blätter davon kaute, von anderen, mit Gerste zusammen verbrannten Blättern den Rauch einatmete und Wasser von der Kassotis-Quelle trank; diese lag sehr nahe beim Tempel, und man nimmt an, daß das Wasser bis zum *Adyton* geleitet wurde. Obwohl uns durch die Literatur zahlreiche delphische Orakelsprüche überliefert wurden, wissen wir nicht genau, wie die Befragung ablief.

Es wird berichtet, daß die Fragen schriftlich auf Täfelchen vorgelegt wurden; die Mehrzahl der Quellen gibt hingegen an, daß die Fragen spontan und mündlich vorgebracht wurden. Bei Stadtdelegationen ist es möglich, daß die Frage schriftlich formuliert wurde, damit sie von den Boten nicht verfälscht werden konnte.

Die Antwort der Pythia erfolgte mit Sicherheit spontan und mit klar vernehmbarer Stimme; die Behauptung einiger moderner Autoren, die Pythia habe nur unverständliches Gestammel von sich gegeben, das dann von den Priestern in verständliche Sprache übertragen wurde, dürfte wohl nicht stimmen. Marie Delcourt erklärt zum Beispiel mit einer unerhörten Sicherheit, daß „in der Vorstellung der Griechen, die Pythia ihre Antwort im gleichen Moment improvisierte, in dem ihr der Befrager gegenüberstand". Sie stellt diese Behauptung in Zusammenhang mit einem Orakel über Lykurg auf, von dem Herodot berichtet, und erklärt, dieses Orakel „bedeutet keinesfalls, daß im Jahre 450 die Pythia und der, der sie befragte, sich tatsächlich gegenübergestanden haben, sondern es wird von Herodot lediglich so dargestellt". Es ist verblüffend, wie ein Autor des 20. Jahrhunderts sich anmaßt zu behaupten, daß das, was die Griechen über ein von Tausenden von ihnen befragtes Orakel berichten, das Ergebnis ihrer Phantasie sei und Herodot ein falsches Bild des Orakels gebe – und dies, obwohl er seine *Historien* (Geschichten) in Olympia vor Tausenden von Griechen vorlas, die seine Erzählungen leicht überprüfen konnten! Plutarch und zahlreiche andere Autoren bestätigten ebenfalls, daß während einer bestimmten Zeit die Orakel in Versform verkündet wurden. Es ist möglich, daß es sich bei diesen Versen nicht um Musterbeispiele der Dichtkunst handelte, aber es ist trotzdem nicht unwahrscheinlich, daß zahlreiche Orakel in Versen ausgesprochen wurden, andere hingegen aber auch in Prosa. Außerdem gab es am Tempelausgang „Poeten", die auf Wunsch die Antworten in fehlerlos aufgebaute Verse umsetzten.

Die Art und Weise, wie die Antwort erteilt wurde, scheint sehr unterschiedlich gewesen zu sein. Oft war sie klar und eindeutig. Die Literatur hat uns aber auch zahlreiche sehr zweideutige Antworten überliefert. Sie wurden in Form von Rätseln erteilt, was Apollon in der griechischen Mythologie den Beinamen Loxias einbrachte, der einen Hinweis auf das Rätselhafte, Unklare der Orakel zum Ausdruck bringen soll. Das berühmteste aller zweideutigen Orakel ist mit Sicherheit das, von dem Herodot berichtet. Es bezieht sich auf den Einfall der Perser unter der Führung des Xerxes. Die Athener befragten das Orakel, wie sie sich gegenüber dem eindringenden Feind verhalten sollten. Nachdem ein erstes, für die Athener wenig erfreuliches Orakel ausgesprochen worden war, erteilte die Pythia auf Wunsch der Athener eine zweite Antwort: „Pallas Athena kann den olympischen Zeus nicht besänftigen, den sie mit verschiedenen Argumenten und vorsichtigen Ratschlägen anfleht... Von allem, was innerhalb der Grenzen des Kekrops (mythischer König von Athen) liegt, einschließlich der Höhlen des göttlichen Kithairon, gewährt der voraussehende Zeus der Tritogenia (Beiname der Athena), daß nur eine Befestigung aus Holz uneinnehmbar sei. Das wird nützlich sein für dich und deine Kinder. Erwarte nicht die Kavallerie, noch die Fußtruppen die herbeikommen, ruhe nicht aus angesichts des großen Heeres vom Kontinent, sondern suche Schutz, indem du den Rücken wendest; eines Tages wirst du ihm die Stirn bieten. O göttliches Salamis, du wirst die Söhne der Frauen sterben lassen, o daß Demeter bei dir sein möge, verstreut oder versammelt."

Wir wissen, daß die alten Athener die noch aus Holz bestehenden Bastionen der Akropolis als die „Festung aus Holz" betrachteten, sich dorthin mit einem Teil der Bevölkerung flüchteten und von den Persern niedergemetzelt wurden. Der größte Teil der Athener hingegen folgte Themistokles, der das Orakel anders deutete: er verstärkte die Flotte, die ja ebenfalls aus Holz gebaut war, und besiegte gemeinsam mit den anderen Griechen die Perser in der Seeschlacht von Salamis.

Feste und Spiele

Wenn es auf der Welt einen Ort gibt, dessen überwältigende Schönheit den Hauch eines göttlichen Wesens verspüren läßt, so ist dies Delphi. Es ist verständlich, daß die Griechen vom Anblick dieser Stätte ergriffen waren, an der der mystische Geist aus dem Übernatürlichen schöpft. Die antiken Autoren haben zahlreiche Beschreibungen des Ortes hinterlassen, so wie er sich ihnen darbot und wie er sich auch noch unseren Augen zeigt. „Der Tempel von Delphi" schreibt der römische Geschichtsschreiber Justinus, „liegt auf einem Felsen des Parnaß, der nach allen Seiten abfällt. Wegen der großen Zahl von Menschen, die hierher kamen, um die Götter zu verehren, entstand mit der Zeit eine Stadt auf dem Felsen. Das Heiligtum und die Stadt sind nicht von Mauern geschützt, sondern von Steilhängen, die nicht von Menschenhand, sondern von der Natur geschaffen sind... Im mittleren Teil hat der Felsen die Form eines Amphitheaters; wenn der Klang der Stimme oder der Trompete erklingt, erschallt das Echo verstärkt und vervielfacht von den Felsen wider. Jene, denen die physikalische Ursache dieses Phänomens unbekannt ist, erstaunen vor Bewunderung und werden vom heiligen Schrecken erfaßt. In einer Felsenschlucht, in der Mitte des Berges, befindet sich auf einer kleinen Fläche eine tiefe Höhle, aus der die Orakel aufsteigen; von dort dringt ein kalter Hauch herauf, der wie ein Wind ausgestoßen wird und der die Seele der Wahrsager des Gottes erfüllt und denen Antworten erteilen läßt, die sie befragen."

Antike Zeugnisse

Pausanias ist derjenige Autor, der die meisten Einzelheiten über die Stadt berichtet. Er kam im 2. Jahrhundert nach Delphi, zu einer Zeit, in der das Heiligtum schon dem Untergang geweiht und des größten Teils seiner Reichtümer beraubt war. Es war jedoch genügend erhalten, so daß der Autor der Stätte noch mehrere Seiten widmen konnte. Sein Bericht war eine sehr wertvolle Hilfe bei der Lokalisierung einiger, bei Ausgrabungen freigelegter Überreste. Der folgende Abschnitt vermittelt eine Vorstellung von Delphi, wie es die Griechen in der Zeit des Niederganges erlebt haben dürften.

„Am Eingang der Stadt liegen vier Tempel hintereinander. Der erste ist verfallen, der zweite hat keine Statuen mehr. Im dritten Tempel befinden sich noch einige Statuen römischer Kaiser, der vierte ist Athena Pronaia geweiht... Wenn ihr euch beim Verlassen der Palästra nach links wendet und etwa drei Stadien (rund fünfhundert Meter) hinabsteigt, stoßt ihr auf den Fluß Pleistos, der sich bei Kirrha (Krisa), dem Hafen Delphis, ins Meer ergießt. Geht ihr jedoch, anstatt hinabzusteigen, zum Tempel der Athena hinauf, so seht ihr rechts die Quelle Kastalia, deren Wasser ausgezeichnet ist... Die Stadt Delphi liegt auf einer Anhöhe, von der man auf allen Seiten auf leicht abfallenden Hängen absteigen kann. Der Tempel des Apollon liegt auf der gleichen Anhöhe. Er nimmt einen weiten Raum im oberen Teil der Stadt ein, und viele Straßen führen dorthin."

Pausanias begleitet dann den Besucher entlang der Via Sacra, die bis zum Apollon-Tempel führt; er beschreibt in allen Einzelheiten die Gebäude, die zu sehen sind, die Statuen, die Arkadengänge und vor allem die sogenannten Schatzhäuser, kleine mit Säulen versehene Gebäude, die von den einzelnen griechischen Städten zur Aufbewahrung der für den Tempel bestimmten Gaben errichtet worden. Er gelangt auf diesem Weg bis zum Heiligtum.

„In der Vorhalle des Tempels sind die Orakel zu lesen, die von großem Nutzen für das Verhalten im Leben sind. Sie stammen aus der Hand derer, die allgemein als die sieben Weisen Griechenlands bezeichnet werden... Im Tempel selbst befindet sich ein dem Poseidon geweihter Altar, denn ursprünglich war ihm das Heiligtum geweiht ... Im Allerheiligsten, zu dem nur wenige Zutritt haben, erblickt man eine goldene Statue des Apollon. Beim Verlassen des Tempels stoßt ihr auf einen von einem Zaun eingefaßten Platz, auf dem das Grab des Neoptolemos, des Sohnes des Achilles, liegt. Beim Rückweg zum Tempel findet ihr die Quelle Kassotis. Vor ihr steht eine kleine Mauer, durch die man hindurchtreten muß, um sie zu sehen. Es heißt, das Wasser dieser Quelle laufe unterirdisch bis in den Tempel und inspiriere durch seine besondere Wirkung die Frauen, die das Orakel verkünden. Oberhalb dieser Quelle ist ein Gebäude mit Gemälden des Polygnotos zu sehen, die die Knidier Apollon gewidmet haben; dieser Ort wird Lesche genannt, weil man in der Vergangenheit sich hier zum Gespräch traf ...

Angrenzend an das Tempelrund liegt ein herrliches Theater. Beim Herabsteigen von der Vorhalle seht ihr auf euerem Weg eine Statue des Dionysos, ein Geschenk der Bewohner von Knidos. Das Stadion liegt im oberen Teil der Stadt; es ist mit Steinen des Parnaß erbaut, aber Herodes Atticus ließ es mit schönem pentelischem Marmor verkleiden."

Das Stadion wurde freigelegt und ist zusammen mit dem schönen Theater, das Mitte des 2. Jahrhunderts vor Christus dank der Großzügigkeit der Könige von Pergamon, Eumenes' II.

und Attalos' II., errichtet werden konnte, eines der Prunkstücke Delphis. Vom Tempel sind nur die Fundamente erhalten.

Das wechselhafte Schicksal des Heiligtums

Die Besiedelung der Gegend von Delphi geht bis in die Jungsteinzeit (5.–4. Jahrtausend) zurück. Einige Scherben und steinerne Arbeitsgeräte wurden in der Nähe des Heiligtums der Athena Pronaia, des Hermes und westlich des Apollon-Heiligtums gefunden. Südlich und westlich von diesem Heiligtum, das von Anfang an das Herz Delphis war, wurden Gefäßscherben aus der althelladischen Zeit (3000–2000 vor Christus) und aus der mittelhelladischen Zeit (2000–1600 vor Christus) gefunden. Funde aus diesen beiden Epochen wurden ebenfalls in der Umgebung der Kassotis-Quelle gemacht.
Bis in die frühhelladische Zeit hinein, das heißt bis in die mykenische Zeit, scheinen hier nur Hirten gelebt zu haben, deren Hütten aus Holz und Zweigen erbaut waren. Die Frage, ob es damals bereits eine Kultstätte, das heißt ein Orakelheiligtum, gab, kann nicht beantwortet werden, da aus dieser Zeit keinerlei Material vorliegt, das als Beweis dafür angesehen werden könnte. Trotzdem scheinen sich die Legenden über die Gründung des Heiligtums und insbesondere der Bericht des Diodorus über die Anwesenheit der Hirten in Delphi gerade auf diese Zeit zu beziehen. Auch Pausanias berichtet, daß nach einer alten Überlieferung noch vor der klassischen Zeit an der Stelle, wo sich heute der Apollon-Tempel erhebt, vier Tempel gestanden haben: der erste soll eine hügelähnliche Form gehabt haben und aus Lorbeerzweigen errichtet worden sein, die aus dem Tal von Tempe in Nordthessalien herbeigebracht worden waren, der zweite soll von Bienen aus Wachs und Federn erbaut worden sein, den dritten soll der Gott Hephaistos aus Bronze und den vierten die beiden legendären Architekten Trophonios und Agamedes aus Orchomenos in Böotien errichtet haben, die zur Zeit des Trojanischen Krieges lebten. Bei diesem Tempel soll bereits Stein als Baumaterial verwendet worden sein. Der Bericht von dem aus Zweigen erbauten ersten Tempel kann sich auf die früh- bis mittelhelladische Zeit beziehen, während es sich bei dem einem Bienenstock ähnlichen Bau um einen den mykenischen Tholosgräbern ähnlichen Tempel gehandelt haben könnte; er könnte aus dem 15. Jahrhundert vor Christus stammen, während mit dem Tempel des Hephaistos ein mit Bronzearbeiten verzierter Tempel aus dem 13. Jahrhundert vor Christus gemeint sein kann; der vierte wäre dann in die letzten Jahre der mykenischen Zeit, das sogenannte geometrische Zeitalter (Zeit der geometrischen Kunst), das heißt in die Zeit zwischen dem 12. und dem 10. Jahrhundert vor Christus, zu datieren.
Bei Ausgrabungen in der Umgebung des Apollon-Tempels wurden rechteckige Gebäude mit Apsis freigelegt, die aus dem 13.–12. Jahrhundert vor Christus stammen. Man vermutet, daß an der Stelle des Tempels selbst ein Megaron stand, in dem der Dorfvorsteher wohnte; es gibt jedoch hierfür keinerlei archäologische Beweise. Gräber wurden westlich vom Tempel in Richtung Marmaria gefunden. Dort wurden auch sichere Spuren einer Kultstätte gefunden; wahrscheinlich handelt es sich um ein Heiligtum der Athena, während der Kult der Gaia etwa an der Stelle gefeiert wurde, wo der Apollon-Tempel steht. Die Gebäude bestanden aus Trockenmauern, wobei Natursteine oder ungebrannte Ziegel verwendet wurden. Unter dem aufgefundenen Material befinden sich kleine stilisierte Statuetten, die Priesterinnen oder Gottheiten darstellen. Eine davon, eine nackte Frau, die mit gespreizten Beinen auf dem Dreifuß sitzt, ist wahrscheinlich das älteste Zeugnis für die Existenz einer Prophetin, die zweifellos bereits über dem Orakelloch sitzend dargestellt ist. Die große Anzahl von Statuetten und insbesondere die Figürchen in Gestalt eines Stieres, die in den Fundamenten des Apollon-Tempels gefunden wurden, lassen darauf schließen, daß es sich hier eher um eine Kultstätte, als um den Wohnsitz eines Dorfvorstehers gehandelt hat. An der gleichen Stelle wurde ein *Rhyton*-Fragment gefunden, eine in einen Löwenkopf übergehende Vase kretischen Ursprungs. Das Bauwerk stammt zweifellos aus dem prähistorischen Pytho. Es ist nicht bekannt, wann genau der Apollon-Kult hier angesiedelt wurde. Die Keramikfunde beweisen, daß die Gegend während der dorischen Zeit, die archäologisch gesehen der submykenischen Zeit (1100–1025 vor Christus) sowie der protogeometrischen Zeit (1025–900 vor Christus) und der geometrischen Zeit selbst (900–700 vor Christus) entspricht, kontinuierlich besiedelt war. Man neigt zu der Annahme, daß dem Apollon im Laufe dieser Jahrhunderte das Heiligtum geweiht wurde, wobei er jedoch nicht den Platz eines älteren Gottes Paian übernahm. Verwirrend ist allerdings die Feststellung, daß alle übrigen Spuren des Kultes des delphischen Apollon während historischer Zeit nur in Kreta anzutreffen sind. Das bedeutet, daß der sich in Delphi niederlassende Apollon ursprünglich auf dieser Insel heimisch war, was wiederum auf die mykenische Zeit zurückführen würde. Auf jeden Fall regierte Apollon bereits zur Zeit Homers, das

Die Altäre des Tempels der Athena Pronaia. Es sind einfache Steinblöcke, oft mit heiligen Inschriften versehen, auf denen der Göttin Tieropfer dargebracht wurden. Das Opfer war mit Sicherheit die bedeutendste Kulthandlung und unumgänglich, wenn man sich der Gottheit nähern wollte. Aus den Eingeweiden der Opfertiere lasen die Priester heraus, ob der Gott dem Opfernden gegenüber gut oder schlecht gestimmt war. Besondere Opferriten füllten die ersten drei Tage der Pythischen Spiele aus, des großen Festes zu Ehren Apollons, das alle vier Jahre in Delphi stattfand.

heißt spätestens im 8. Jahrhundert vor Christus, in Delphi, denn wir erleben, wie Agamemnon das Orakel des Phoibos Apollon „im guten Pytho“ befragt. Dies weist allerdings auf die ausgehende mykenische Zeit, wobei es sich aber auch um einen Anachronismus handeln kann. Zweifellos tritt Delphi während jener Zeit der Amphiktyonie von Anthela, in der Nähe der Thermopylen, bei, deren Mittelpunkt das Heiligtum der Demeter Pylaia darstellte. Die Amphiktyonie ist ein religiös-politischer Verband griechischer Stämme und Städte, dessen Zentrum ein Heiligtum ist. Zur Amphiktyonie des Demeter-Heiligtums bei den Thermopylen gehörten nach einigen Inschriften in Delphi im 6. Jahrhundert: die Delphier, die Thessalier, die Phoker, ein Teil der Dorier (darunter die Lakedaimonier), die Ionier, die Perrhaiber und die Doloper, die Böoter, die Lokrer, die Phthioten, die Magneten, die Ainianen und die Malier. Von diesem Zeitpunkt an beteiligt sich also der Rat der Amphiktyonie aktiv an der Verwaltung des Heiligtums von Delphi, das das zweite Heiligtum der Amphiktyonie wird.

Im Jahre 600 vor Christus entflammte der erste Heilige Krieg, der zehn Jahre dauerte. Die Bewohner von Kirrha (Krisa, Hafen, über den zahlreiche Pilger nach Delphi gelangten) verlangten von den Besuchern des Apollon-Heiligtums so hohe Steuern, daß sich dies ungünstig für Delphi auswirkte. Die Amphiktyonie erklärte deshalb Kirrha den Krieg. Nach langen Kämpfen wurde Kirrha zerstört und das Stadtgebiet beschlagnahmt. Nach dem Wiederaufbau wurde Kirrha (Krisa) der Hafen von Delphi. Höchstwahrscheinlich übernahm die Amphiktyonie zu diesem Zeitpunkt die Verwaltung des Heiligtums, während die Delphier die eigentlichen Besitzer blieben.

Im Jahre 548 vor Christus brannte der Trophonios und Agamedes zugeschriebene Tempel ab, und es wurde mit großem Aufwand ein neuer errichtet, der 510 vor Christus fertiggestellt wurde. Während der Meder-Kriege, zu Beginn des 5. Jahrhunderts, lauteten die Orakelsprüche so ungünstig, daß behauptet wurde, das Orakel stünde auf seiten der Meder. Als 480 vor Christus die Perser Truppen aussandten, die versuchten, Delphi einzunehmen, wurden diese durch ein starkes Unwetter in die Flucht getrieben. 448 vor Christus hatten sich die Phoker mit Hilfe der Athener des Heiligtums bemächtigt, was Anlaß zum zweiten Heiligen Krieg war. Trotz der Einmischung Spartas im darauffolgenden Jahr behielten die Phoker die politische Vorherrschaft in Delphi. Dies verdankten sie der Hilfe des Perikles, der zu diesem Zeitpunkt in Athen an der Macht war. Erst der Friedensschluß im Jahre 421 vor Christus brachte Delphi wieder die Selbständigkeit.

Bei einem Erdbeben stürzten große Steinblöcke von den Phädriaden und zerstörten den Tempel teilweise. Erst im Jahre 369 vor Christus wurde mit dem Wiederaufbau begonnen. Die Phoker verursachten den dritten Heiligen Krieg, als sie 356 vor Christus Delphi besetzten und sich dort verschanzten. Zehn Jahre lang waren sie die Herren des Orakels. Um 352 vor Christus wurden die Restaurationsarbeiten am Tempel wieder aufgenommen, die viele Jahre unterbrochen waren. 346 wurden die Phoker von Philipp von Makedonien verjagt und mußten eine hohe Wiedergutmachung zahlen; außerdem verloren sie ihre beiden Stimmen in der Amphiktyonie, die Philipp zufielen. Der vierte Heilige Krieg brach im Jahre 339 vor Christus aus. Diesmal waren es die Lokrer von Amphissa, die es sich anmaßten, von den Pilgern eine Abgabe zu verlangen, weil sie die Ebene von Kirrha urbar gemacht hatten. Im darauffolgenden Jahr beendet Philipp II. diesen letzten Heiligen Krieg durch einen Sieg über die Lokrer. Wegen all dieser Zwischenfälle konnten die Restaurationsarbeiten am Tempel erst um 330 vor Christus zu Ende geführt werden. Die Expansion der im Norden des Balkan angesiedelten Kelten im 4. Jahrhundert vor Christus war für die Griechen eine Bedrohung. Das mächtige Makedonien hielt sie zunächst in Schach; aber um 280 vor Christus war dieser Schild des Hellenismus, das Reich Philipps und Alexanders, durch innere Zwistigkeiten geschwächt, so daß die Kelten, die in den griechischen Texten Galater genannt werden, 279 vor Christus die Makedonier des Ptolemaios Keraunos besiegen konnten. Damit stand der Weg nach Griechenland offen. Die Kelten fielen unter ihrem Führer Brennus in Thessalien ein, erreichten die Thermopylen, wo die Griechen sie eine kurze Zeit lang aufhalten konnten, sich jedoch dann zurückziehen mußten. Brennus marschierte danach mit vierzigtausend Mann auf Delphi zu. Dieser Feldzug fand im Winter statt, als die Berge mit Schnee bedeckt waren. Diese ungünstigen klimatischen Bedingungen sowie das Eingreifen der Ätoler und Phoker retteten den Tempel. Die Legende berichtet, daß die Götter selbst, insbesondere Athena und Artemis, in die Schlacht eingegriffen hätten. Die Kelten zogen sich zurück, nachdem sie die Tempel der Marmaria geplündert hatten.

Das ganze 3. Jahrhundert hindurch und bis 168 vor Christus stand das Heiligtum unter der Kontrolle des Ätolischen Bundes. Es war dies noch einmal eine bedeutende Zeit des Orakels, vor allem wegen der Geschenke der Könige von Perga-

mon, die ebenso wie die Ätoler einen Laubengang errichteten. Im Jahre 167 vor Christus besiegten die Römer Perseus, den letzten König Makedoniens, machten das Land zu einer römischen Provinz und übernahmen die Kontrolle über Delphi. 86 vor Christus, als Sulla seine Kriege gegen Mithridates, den König von Pontos in Kleinasien, führte, zwang er Delphi, die wertvollen Opfergaben zur Finanzierung seiner Feldzüge herauszugeben.
Unter dem Schutz des römischen Kaisers Augustus gewann das Heiligtum wieder an Glanz, und trotz der zahlreichen Plünderungen gab es im 1. Jahrhundert nach Christus noch dreitausend Statuen im Heiligtum. 67 nach Christus entnahm Nero etwa fünfhundert Statuen und teilte die Ebene von Krisa unter seine Legionäre auf. Unter Kaiser Domitian wurde der Tempel im Jahre 87 nach Christus restauriert. Im 2. Jahrhundert waren die römischen Kaiser, insbesondere Kaiser Hadrian, Wohltäter des Heiligtums. Einer ihrer Zeitgenossen, Herodes Atticus, ein reicher Grieche aus Marathon, Freund des Kaisers Hadrian, ließ auf eigene Kosten die Steinstufen des Stadions erbauen. Das Orakel allerdings war im Niedergang begriffen. Während in der Vergangenheit die Städte das Orakel vor schweren politischen Entscheidungen befragten, bestand jetzt die Kundschaft aus meist unbedeutenden Privatleuten. Kaiser Julian (361–363) versuchte vergebens, das Heiligtum zu neuem Leben zu erwecken. Es wurde endgültig 394 durch einen Erlaß des Kaisers Theodosius geschlossen, mit dem alle heidnischen Kulte untersagt wurden. In Delphi wurde ein Bischof eingesetzt und sogar eine Basilika errichtet.

Die Feste

Es sind zahlreiche Feste bekannt, die direkt mit den delphischen Mythen oder mit den in dieser Stadt verehrten Göttern in Verbindung stehen.
Am bedeutendsten sind die Pythischen Spiele, die neben den Olympischen, den Nemeischen und den Isthmischen Spielen die vierten panhellenischen Spiele sind. Wie auch die anderen großen Spiele sind sie eigentlich eine Feier zum Gedenken an die Toten. Sie sind ein Aspekt des *Agon epitaphios* und finden am Grab des Python statt, der begraben wurde vom Sohne Aix, dessen Name „die Ziege" bedeutet. Sie sollen von Apollon selbst nach seinem Sieg über den Drachen Python gestiftet worden sein. Ursprünglich fanden die Spiele nur alle acht Jahre statt. Dieser Zyklus von 2920 Tagen umfaßt 99 Monde und entsprach einem „großen Jahr". Zu jener Zeit waren die Spiele primär ein musischer Wettbewerb, bei dem jeder Kandidat eine selbst verfaßte Dichtung zu Ehren Apollons vortrug, wobei er sich mit der Kithara begleitete. Der erste Sieger war Chrysothemis, Sohn des Karmanor, aus Kreta.
Erst 582 vor Christus erhalten die Spiele ihre endgültige Form. Mit diesem Jahr beginnen die Pythischen Spiele offiziell und wurden seither alle vier Jahre begangen. Die Spiele wurden im Monat Boukatios gefeiert, dem zweiten Monat des delphischen Kalenders (August-September), und zwar in jedem dritten Olympiadenjahr (die Olympiaden fanden wie die Pythischen Spiele alle vier Jahre statt). Sechs Monate vor Beginn der Spiele zogen die Boten *(Spondophores)* durch die griechischen Lande, um den heiligen Waffenstillstand auszurufen, damit die Griechen auch in Kriegszeiten unversehrt zu den Spielen erscheinen konnten. Die Spiele dauerten sechs bis acht Tage. Die ersten drei Tage waren den Opfern, den Prozessionen und einem Festmahl gewidmet. Vielleicht wurde auch ein Drama aufgeführt, das den Kampf Apollons gegen den Drachen zeigte. Am vierten Tag fanden die musischen Wettbewerbe statt. Sportwettkämpfe wurden am fünften Tag ausgetragen: Dauerlauf (*Dolichos,* vierundzwanzig Stadien zu je 178 m), Doppellauf (*Diaulos,* zwei Stadien), *Pankration* (Faust- und Ringkampf), *Pentathlon* (Fünfkampf: Laufen, Weitsprung, Ringkampf, Diskuswurf und Speerwurf). Die Pferderennen, Rennen mit vierspännigen (Quadriga) und zweispännigen Wagen (Biga), fanden am sechsten Tag statt. Es gab aber auch Zeiten, in denen Malwettbewerbe ausgetragen wurden. Die Sieger erhielten einen Kranz aus dem dem Apollon heiligen Lorbeer. Die Preise wurden vom Rat der Amphiktyonie verteilt, der gleichzeitig der Veranstalter der Spiele war. Diese Sportwettkämpfe und Pferderennen lieferten der griechischen Dichtkunst vor allem während der klassischen Epoche viele Stoffe. Die Sieger bestellten Oden bei den bedeutendsten Dichtern ihrer Zeit, insbesondere bei Simonides und Pindar.
Plutarch berichtet, daß in Delphi alle acht Jahre drei aufeinanderfolgende Feste gefeiert wurden: Stepterion, Herotiden und Charila; das *Stepterion* scheint die Darstellung des Kampfes zwischen Apollon und dem Python gewesen zu sein, der Flucht des Gottes und seines Exils. Nach einigen Autoren soll Apollon sich nach der Tötung des Drachens entfernt haben, um geläutert zu werden; nach anderen Berichten war es Python, der entlang der Via Sacra flüchtete; Apollon verfolgte ihn so lange, bis der Drache starb und sein Sohn ihn begrub.

Das Becken des Kaltwasserbades im Gymnasion von Delphi. Das Wasserbecken war etwa 2 Meter tief und hatte einen Durchmesser von 10 Metern. Es gehörte zu den Thermen, die mit der Palästra auf einer Terrasse unterhalb des eigentlichen Gymnasions lagen. Nicht weit entfernt wurden Reste des Warmwasserbades gefunden, das erst während der römischen Zeit erbaut wurde, wohingegen das Gymnasion aus dem 4. Jahrhundert vor Christus stammt. Das Gymnasion diente sportlichen Übungen. Hier hielten sich die Athleten vor den öffentlichen Darbietungen im Stadion auf, und hier trainierte die Jugend von Delphi. Den Sportwettkämpfen waren nur die letzten beiden Tage der Pythischen Spiele (die letzten vier, als die Spiele auf acht Tage verlängert wurden) gewidmet. An den ersten Tagen fanden Opfer sowie andere sakrale Handlungen und musische Wettbewerbe statt. Mit den Olympischen, den Nemeischen und den Isthmischen Spielen gehörten die Pythischen Spiele zu den bedeutendsten der griechischen Welt. Nach der (mythologischen) Überlieferung wurden sie von Apollon selbst eingesetzt, nachdem er den Drachen Python getötet hatte. Ursprünglich fanden die Spiele alle acht Jahre statt. Die endgültige Form der Spiele, so wie sie während der historischen Epoche gefeiert wurden, geht auf das Jahr 582 vor Christus zurück. Seitdem wurden sie alle vier Jahre abgehalten. Sie fanden im zweiten Monat des delphischen Kalenders statt (zwischen August und September), im dritten Jahr nach den Olympischen Spielen, und wie für diese, wurde auch für die Pythischen Spiele der „heilige Waffenstillstand" ausgerufen; alle die Krieg führten, mußten die Waffen niederlegen, damit alle Griechen an den Spielen teilnehmen konnten. Die Sieger erhielten einen einfachen Lorbeerkranz (vom heiligen Baum des Apollon), aber der Ruhm, den sie ernteten, war sehr groß. Die Dichtung griff vor allem im klassischen Zeitalter Themen und Ideen auf, die mit den religiösen Manifestationen wie den Pythischen Spielen und anderen panhellenischen Festen in Zusammenhang stehen. Der Name Pindars, einer der größten Dichter Griechenlands, ist eng verbunden mit den Darbietungn im Rahmen dieser Spiele. Er schrieb fünfundvierzig Epinikien (wörtlich „über den Sieg") für alle vier panhellenischen Spiele; zwölf davon sind den Pythischen Spielen gewidmet. Der Dichter nahm den Sieg eines Athleten, der oft bei ihm eine Ode in Auftrag gab, zum Anlaß, sich in die phantastische Welt des Mythos zu begeben, die der Erzähler oft an seine heroischen, ethischen und religiösen Ideen anpaßte. Es ist dies eine Bestätigung für die bedeutende Rolle, die die Kulthandlungen in der griechischen Welt spielten. Sie beeinflußten nicht nur das politische und soziale Leben, sondern auch die kulturellen und künstlerischen Ausdrucksformen.

Inschriften auf einer Mauer des Schatzhauses der Athener (5. Jahrhundert vor Christus). Die Mauern der Schatzhäuser, die den Platz um das Heiligtum füllen, tragen zahlreiche Inschriften, Widmungen, Freilassungsurkunden von Sklaven, Erlasse der Promantie (Vortrittsrecht bei der Befragung des Orakels), Proxenia-Erlasse (mit denen eine Stadt einem geachteten Bürger einer anderen Stadt das Recht zusprach, sie an seinem Wohnort zu vertreten und die Interessen der eigenen, zu Besuch erscheinenden Bürger zu schützen). An den Mauern der Schatzhäuser von Delphi sind auch die „Verbrechen" der Griechen gegenüber Hellas und seiner Kultur zu lesen. Der Geschichtsschreiber Plutarch, der im 2. Jahrhundert nach Christus lebte und Priester in Delphi war, fand Worte der Entrüstung, als er folgende „Widmungen" an den Mauern las: „Die Athener erbauten auf den Resten der Korinther" oder „die Phoker auf den Resten der Thessalier" und so weiter. Tragisches Schicksal dieser Denkmäler: sie wurden errichtet zum Ruhme der Gottheit, der Eintracht und des Friedens und waren das Ergebnis von Kriegen und Plünderungen, durch die die Geschichte des antiken Griechenlands durch Jahrhunderte bestimmt war.

Das Stepterion ist nach Plutarch die Darstellung dieser Ereignisse.

Das Stepterion, „Fest der Kränze", in anderen Quellen auch Septerion genannt und damit ein Fest der Läuterung, war gemeinsam mit den Pythischen Spielen das bedeutendste Fest Delphis. Dieses Fest hatte einen geheimnisvollen Charakter und wurde zum Teil in Delphi selbst, zum Teil im Tal von Tempel in Nordthessalien gefeiert, wohin sich Apollon begeben haben soll, um nach der Tötung des Python Reue zu üben und sich zu läutern. Auf dem heiligen Gebiet, einem runden Platz in der Nähe des Laubenganges der Athener in Delphi, wurde eine Holzhütte erbaut; neben diese oder in diese stellte man einen Tisch. Die Hütte betrachtete man als die Höhle des Drachen oder, nach einer anderen Interpretation, als den Wohnsitz eines Königs oder eines Tyrannen. Ein Junge, „dessen Eltern noch leben" betrat nun, gefolgt von Fakkelträgern, den Platz. Sie legten Feuer an die Hütte, warfen den Tisch um und flohen ohne sich umzuwenden aus den verschiedenen Toren des heiligen Bezirkes. Daraufhin mußten der Junge und sein Gefolge auf abenteuerliche Weise „umherirren", das heißt sie mußten sich ins Tal von Tempe begeben, wo sie sich im Fluß reinigten und Opfer darbrachten. Während bei der Feier auf dem Platz von Delphi wahrscheinlich keine gewöhnlichen Zuschauer anwesend waren, war das bei der Reinigung in Tempe nicht der Fall. Aelianus berichtet in seiner *Varia historia:* „Die gesamte Bevölkerung der Umgebung begibt sich dorthin, trifft Verabredungen, opfert und organisiert gemeinsame Trinkgelage. Die hier opfernden Personen sind so zahlreich, daß die, die sich zu Fuß oder im Boot hierher begeben, von den angenehmsten Gerüchen empfangen werden." Nachdem sie sich mit Lorbeer bekränzt hatten, kehrten die jungen Delphier entlang der Straße zurück, die „Pythias" genannt wurde und die über die Thermopylen führte. Einige moderne Autoren sehen in diesem Fest eine Initiationsfeier der Jugendlichen oder eine Neujahrsfeier, bei der die abbrennende Hütte das alte Jahr darstellen soll. Diese Erklärung steht im Gegensatz zu der Tatsache, daß das Fest nicht jährlich, sondern alle acht Jahre gefeiert wurde. Die eigentliche Bedeutung dieses Festes ist uns aber noch immer unbekannt.

Nach Plutarch wurden die Herotiden, die Feste der Heldin, nach dem Stepterion gefeiert. Das bedeutet nicht, daß die Herotiden sofort nach dem Lauf nach Tempe, wohl aber im gleichen Jahr stattfanden, denn es handelt sich ebenfalls um ein Fest, das alle acht Jahre gefeiert wurde. Plutarch sagt sehr wenig aus über dieses Fest, das eine zum großen Teil geheimnisvolle Bedeutung hatte; an ihm waren die Thyiaden beteiligt, was auf einen Zusammenhang mit Dionysos schließen läßt. Er fügt hinzu, daß ein Teil der Riten in der Öffentlichkeit gefeiert wurde und die Rückkehr der Semele aus der Unterwelt bedeuten könne. Die Tatsache, daß Plutarch als Priester von Delphi nicht die eigentliche Bedeutung und die Riten dieses Festes kennt, läßt darauf schließen, daß es sich um einen Initiationsritus handelte, der nur den Frauen und vielleicht nur den Thyiaden vorbehalten war. Auch der Umstand, daß diese ursprünglich wohl anonyme Heldin mit Semele, der Mutter des Dionysos, in Verbindung gebracht wurde, die der Gott in der Unterwelt sucht, damit sie mit ihm zu den Göttern in den Olymp aufsteigen kann, läßt darauf schließen, daß es sich um ein vorgeschichtliches Fest handelt, dessen eigentlicher Sinn verloren ging und das die Griechen später mit einem bekannteren Mythos in Verbindung brachten. Die Rückkehr aus der Unterwelt erinnert an die Eleusischen Mysterien, die sich auf Demeter beziehen, die Göttin des Getreides; sie ist auf der Suche nach der von Hades (dem Pluto der Römer) in die Unterwelt entführten Tochter; sie kehrt für sechs Monate im Jahr auf die Erde zurück, und die restlichen sechs Monate regiert sie mit Hades in der Unterwelt. Ebenso wie der euleusische Mythos der Demeter und der Persephone oder Kore ist auch dieser Mythos der Heldin wohl kretischen Ursprungs.

Das dritte von Plutarch erwähnte Fest ist das der *Charila*, von dem die Legende ausführlicher berichtet. Er schreibt: „Die Trockenheit hatte in Delphi eine große Hungersnot verursacht. Die Bewohner begaben sich massenweise mit ihren Frauen und Kindern zum Königspalast und verlangten Nahrung. Der König ließ Mehl und Gemüse an die austeilen, die er besser kannte, denn er besaß nicht genug, um alle zufrieden zu stellen. Es kam ein junges Waisenmädchen und bat mit Nachdruck um Brot. Ungeduldig warf ihr der König seinen Schuh ins Gesicht. Das Mädchen, das in ihrer Armut dennoch edle Gefühle bewahrt hatte, zog sich zurück und hängte sich mit dem Gürtel auf. Da die Hungersnot immer weiter um sich griff und auch Epidemien hinzukamen, befragte der König das Orakel. Er erfuhr, daß er die Seele der Charila besänftigen müsse, die sich umgebracht hatte. Man stellte mit Schmerzen fest, daß es sich um das junge Mädchen handelte, das vom Fürsten mißhandelt worden war. Es wurde ein Sühneopfer dargebracht, das noch heute alle acht Jahre gefeiert wird. Den Vorsitz dabei hat der König, der Mehl und Gemüse an alle die austeilt, die erscheinen, seien dies nun die eigenen Bürger oder

ΟΝΤΟΣΚΤΗΣ
ΝΟΣΜΗΝΟΣΔΑ
ΔΗΦΟΡΙΟΥΔ
ΕΝΕΝΝΟΜΩΕ
ΕΝΕΣΙΑΘΗΣΕΑ
ΚΛΗΣΙΑΘΗΣΕΑ
ΗΙΟΣΕΝΟΥΑ
ΘΝΑΙΟΝΔΕΛ
ΦΟΙΔΕΛΦΟΝΕ
ΠΟΙΗΣΑΝΚΑΙΒΟΥΛΕΥΤΗ

Fremde; es gibt auch eine Figur, die Charila darstellt und die der König, wenn die Verteilung abgeschlossen ist, mit dem Schuh schlägt. Daraufhin nimmt die bedeutendste der Thyiaden sie und trägt sie in den Abgrund, wo Charila begraben wurde."

Die Religionshistoriker sind übereinstimmend der Meinung, daß es sich bei diesem Fest um ein ländliches Fest handelt. Sowohl im homerischen Griechenland, als auch in der östlichen Welt oder bei den Etruskern war der König der Vater, „der sein Volk ernährte", sowohl aufgrund seines Amtes als auch aufgrund seiner magischen Kräfte. Daraus erklärt sich die Verteilung der Nahrung. Charila ist mit Bestimmtheit eine alte Erdgottheit.

Von großer Bedeutung waren ebenfalls die Feste der *Soteria*. Es handelt sich um Gedächtnisfeste, deren Ursprung bekannt ist. Sie wurden eingesetzt, nachdem die Galater den Rückzug angetreten hatten, und man feierte auf diese Weise den Sieg der Griechen über die Barbaren. Sie waren dem Apollon Pythios und dem Zeus Soter (Erretter) geweiht. Diese Errettungsfeste wurden zu Beginn jedes Jahres gefeiert und von den Delphiern und der Amphiktyonie organisiert. Es fanden musikalische, lyrische und dramatische Wettbewerbe statt, begleitet von Opfern und öffentlichen Festmahlen.

Etwa dreißig Jahre nach der Einführung der Feste der Soteria verliehen die Ätoler, die die Vorherrschaft innerhalb der Amphiktyonie hatten, dem Fest neuen Glanz (246 vor Christus) und brachten es auf das Niveau der Pythischen, Olympischen oder Nemeischen Spiele. Sie fanden gegen Ende August, Anfang September statt. Zu den musikalischen Wettbewerben kamen Sportwettkämpfe und Pferderennen hinzu. Nach den Opfern und religiösen Zeremonien begannen die musikalischen und dramatischen Wettbewerbe im Theater. Es folgten die Sportwettkämpfe im Stadion und die Pferderennen auf der Rennbahn. Wie bei den anderen Spielen wurden die Geldpreise durch Siegerkränze ersetzt. Sie fanden mit Sicherheit jährlich statt und wurden von den Delphiern anläßlich des Jahrestages der Invasion gefeiert. Wir kennen diese Feste nur aufgrund von Inschriften. Sie gerieten wahrscheinlich im 1. Jahrhundert vor Christus in Vergessenheit, nachdem das Heiligtum von den Thrakern ausgeraubt worden war.

Es wurde an anderer Stelle bereits auf das Fest der „Geburt" des Apollon und seiner Rückkehr vom Aufenthalt bei den Hyperboreern hingewiesen. Wahrscheinlich gab es auch ein Fest der Geburt des Dionysos. Es wurde im Winter zur Zeit der Wintersonnenwende begangen, wenn die Tage länger wurden. Beim Licht von Pinienfackeln, dem Symbol der aufgehenden Sonne, brachten die Thyiaden Dionysos ein Kind in einer Getreideschwinge, die als Wiege diente. Diese dionysischen Zeremonien sind im Zusammenhang mit Delphi nur wenig bekannt, es scheint aber, daß man den Riten zur Einführung des neuen Jahres große Bedeutung beimaß.

Obwohl es nichts mit dem gerade erwähnten Fest zu tun hat, soll hier auch das Fest Oribasia erwähnt werden. Es handelt sich um einen Lauf der Thyiaden und Menaden über den Parnaß, der ebenfalls im Winter stattfand. Bei dieser Gelegenheit wurde ein Tieropfer zerrissen und roh verschlungen, eine Zeremonie, die den Namen *Diasparagmos* führt. Bei diesem Aufstieg in die Berge machten die Thyiaden in einer Grotte halt, wo man glaubte, sie träfen Dionysos, Pan und die Nymphen.

Weiterhin sollen einige Feste erwähnt werden, die zu Ehren von Wohltätern der Stadt gefeiert wurden. Dazu gehören die Alkesippeia, die 182–181 vor Christus zu Ehren des Alkesippos eingeführt wurden, einem Bürger von Kalydon, der Delphi eine bedeutende Erbschaft hinterlassen hatte. 160–159 führten die Delphier die Eumeneia und die Attaleia ein als Zeichen ihrer Dankbarkeit gegenüber den Königen von Pergamon. An den Festen fanden Fackelläufe statt. Im Jahre 189 vor Christus waren bereits die Romaia zu Ehren Roms eingesetzt worden.

Die Kunst

Im 19. Jahrhundert war von den prachtvollen Bauwerken und den zahllosen Statuen nichts mehr zu sehen. Das kleine Dorf Kastri bedeckte die eingeebneten Trümmer, von denen fast nichts mehr zu erkennen war. Im Jahre 1840 begann der berühmte deutsche Altphilologe und Archäologe Karl Otfried Müller als erster mit den Ausgrabungen. Zwischen 1860 und 1862 leitete der Franzose Paul Foucart drei Ausgrabungsexpeditionen, bei denen man die Bedeutung dieser Gegend erkannte. Nachdem in den Jahren 1882 und 1887 zwischen Griechenland und Frankreich Vereinbarungen getroffen worden waren, die zwar wirkungslos blieben, aber das Gebiet der Französischen Schule von Athen sicherten, gelangte man zu einem definitiven Übereinkommen zwischen den beiden Ländern, das den Franzosen das Recht sicherte, das Gebiet zu erforschen. 1893 begannen die Ausgrabungen, die bald zu beachtlichen Funden führten. Es begann mit der Auffindung des Schatzhauses der Athener mit dem Relieffries und Musiknoten, die auf zwei Steintafeln eingemeißelt waren: ein Päan des

Bronzegruppe aus der ersten Hälfte des 5. Jahrhunderts vor Christus, die einen Schiedsrichter und einen Athleten darstellt. Die zu den Pythischen Spielen gehörenden Sportwettkämpfe umfaßten Wettläufe, Ring- und Boxkämpfe, Wettlauf mit Rüstung und Pentathlon (fünf verschiedene Wettkämpfe: Wettlauf, Weitsprung, Ringkampf, Diskus- und Speerwerfen). Alle diese Wettkämpfe fanden im Stadion statt (in früheren Zeiten in der Pferderennbahn), das am Fuße des Berges lag. Das Stadion war etwa 25 m breit und vom Start bis zum Ziel 177 m lang. Die Athleten betraten das Stadion vom hinteren Teil aus, wo später von den Römern ein Triumphbogen errichtet wurde.

Links: Der Wagenlenker, Bronzestatue etwa aus dem Jahre 475 vor Christus (rechts Detail). Er ist der einzige erhaltene Teil einer großen Gruppe, zu der auch ein Wagen, in dem der Wagenlenker stand, und vier Pferde gehörte. An der Basis der Statue ist eine Widmungsinschrift mit dem Namen des Spenders dieses Weihgeschenkes für Apollon erhalten: es handelt sich um Polyzeulos, den jüngeren Bruder der Tyrannen von Syrakus, Gelon und Geron, einem syrakusischen Fürsten und „König von Gela", der das Wagenrennen bei den Pythischen Spielen im Jahre 478 vor Christus gewann. Zwischen den Spielen des Jahres 478 und den darauffolgenden (wahrscheinlich nahm er als Wagenlenker auch an den Pythischen Spielen des Jahres 474 vor Christus teil) hatte er einen langen Krieg gegen den Bruder Geron auszufechten, der schließlich durch die Vermittlung des Dichters Simonides beendet wurde. Es muß hinzugefügt werden, daß die Tyrannen von Syrakus mehrmals an den Pythischen Spielen teilnahmen und sich dem Heiligtum von Delphi gegenüber besonders großzügig erwiesen. 478 vor Christus schenkte Gelon dem Tempel vier Dreifüße und Siegesgöttinnen (Nikai) aus Gold von unschätzbarem Wert als Ex-Voto und Dank für den zwei Jahre zuvor errungenen Sieg über Karthago. Die beeindruckende Statue des Wagenlenkers ist 1,80 Meter hoch und gehört zu den wertvollsten in Delphi gefundenen Werken. Die aufrecht und sicher stehende Figur hält die Arme ausgestreckt, mit denen sie die Zügel der Pferde führt. Der Aufbau der Statue, der mit der typischen Frontaldarstellung der archaischen Kunst bricht, ist sehr feierlich und maßvoll. Der Kopf ist im Vergleich zum Oberkörper leicht nach rechts gewandt, der wiederum mit dem unteren Teil des Körpers keine einheitliche Linie bildet. Dieser zu lange Teil bleibt dem Auge verborgen. Der Gesichtsausdruck ist ernst, fast abwesend, und fasziniert durch den von ihm ausgehenden geheimnisvollen Zauber.

Aristonoos und eine Hymne an Apollon, durch die man endlich etwas über die Musik der Griechen erfuhr. Außerdem wurden Tausende von Gegenständen gefunden: Gefäße, kleine Geräte und Statuetten aus Terrakotta, Bronze, Stein, Elfenbein, Gold, Silber und vor allem eine große Anzahl von Skulpturen und Basreliefs, die neue Erkenntnisse in bezug auf die griechische Kunst und ihre Geschichte ermöglichten. Als im Jahre 1903 die umfangreichen Grabungsarbeiten beendet waren, errichtete die griechische Regierung mit Hilfe des Mäzens A. Syngros das erste Museum, in dem die Funde aufgestellt wurden. Nach dem letzten Krieg wurde das Museum erweitert. Die archaische Kunst ist durch einige besonders schöne Stücke vertreten. Aus dem 7. Jahrhundert stammen ein kleiner *Kouros* aus Bronze und vor allem eine kleine Elfenbeinstatuette, eine stehende Figur, die in der rechten Hand einen Speer hält und die linke Hand auf den Kopf eines Löwen legt, der an ihm emporsteigt. Dieser „Herr der wilden Tiere“ scheint durch die Darstellung des assyrisch-babylonischen Gilgamesch inspiriert zu sein.

Das 6. Jahrhundert ist mit zwei Apollon-Statuen, auch *Kouroi* genannt, vertreten, Zwillingsstatuen, die von Polymedes von Argos signiert sind; sie sind einzuordnen in die peloponnesische archaische Schule. Diese ist charakterisiert durch eine gewisse Schwerfälligkeit, verbunden mit einer Ausdruckskraft, die die konventionelle Haltung vergessen läßt und im Gegensatz steht zur zerbrechlich wirkenden und weichen Anmut und Eleganz der ionischen Kunst. Ein Beispiel dafür sind die Karyatiden der Schatzhäuser von Knidos und Siphnos. Von dem Schatzhaus von Knidos stammt der beschädigte Kopf einer Karyatide, den einige moderne Autoren allerdings dem Schatzhaus von Siphnos zuordnen und der auf die Zeit um 525 vor Christus zurückgeht; von letzterem sind ebenfalls eine Karyatide und der Kopf einer anderen erhalten.

Mit dem Schatzhaus von Siphnos wurden auch eine Reihe von Basreliefs gefunden. Die Giebelreliefs, Werk eines nicht sehr talentierten Bildhauers, stellen den Streit um den Dreifuß zwischen Apollon und Herakles dar. Von stereotyper und ungeschickter Ausführung, stehen sie im krassen Gegensatz zu den Friesen, auf denen verschiedene Szenen mit zahlreichen Personen dargestellt sind. Die westlichen und südlichen Friese wurden von einem sehr schwungvoll arbeitenden Künstler angefertigt, der die Figuren stilisiert, ohne damit die Bewegung und Ausdruckskraft zu schmälern. Es gelingt ihm jedoch nicht so gut, die menschlichen Figuren zu gestalten. Im Gegensatz dazu sind die Friese an der Nord- und Ostseite reich an Details und voller Vitalität, ohne daß dadurch der Gesamteindruck an Wirkung verliert. Diese Friese sind Vorboten der großartigen Kunst der klassischen Epoche. Aus der archaischen Zeit müssen ebenfalls noch die Metopenfragmente des Schatzhauses von Sikyon erwähnt werden, die einen Eindruck vermitteln von der archaischen Kunst dieser Stadt.

Die Künstler aus Athen sind die Hauptvertreter der Übergangszeit von der archaischen zur klassischen Epoche. Mit Sicherheit stammen die Giebelskulpturen des archaischen Apollon-Tempels, der im letzten Viertel des 6. Jahrhunderts vor Christus auf Veranlassung der Alkmeoniden wiedererrichtet worden war, aus einer attischen Werkstatt. Die Alkmeoniden sind eine mächtige athenische Familie, die damals von den Peisistratiden ins Exil geschickt wurde. Die Peisistratiden beherrschten Athen bis zum Ende des 6. Jahrhunderts. Zwei Züge von *Kouroi* und *Korai* umgeben den Wagen des Apollon. Auch wenn das Werk eine gewisse Stilisierung und einen Hang zur Ausschmückung aufweist, ist es doch ein Vorbote der künstlerischen Qualität, die in den Friesen des Schatzhauses der Athener zum Ausdruck kommt, das etwa zwanzig Jahre später, kurz nach der Schlacht von Marathon (490 v. Chr.), erbaut wurde. Diese Hochreliefs sind nur in Bruchstücken erhalten, die Fragmente lassen jedoch die Geburt der großen attischen Kunst erkennen. Die Szenen zeigen die Arbeiten des Herakles und die Kämpfe der Griechen gegen die Amazonen, ein sehr beliebtes Thema der griechischen Bildhauer, mit dem sie des Sieges der Griechen über die Perser gedachten. Die Figuren sind noch archaisch, aber wegen der Lebendigkeit der Bewegungen, der Ausgewogenheit der Komposition jeder einzelnen Metope erreichen sie fast das Niveau der aus der gleichen Zeit stammenden Skulpturen des Tempels von Ägina; sie sind ein Vorbote der klassischen Kunst.

Das Meisterwerk aus dieser Zeit ist der berühmte Wagenlenker, der einzige Teil, der erhalten geblieben ist von einem Gesamtwerk, das um 475 vor Christus ein syrakusischer Fürst nach seinem Sieg im Wagenrennen anfertigen ließ. Die Pferde, der Wagen, der Fürst und ein Jugendlicher, der voranschreitet, alles in Lebensgröße aus Bronze gegossen, sind verloren gegangen. Der Wagenlenker mit den durch ein schmales Band zurückgehaltenen Haaren, dem ernsten Gesicht ist in seiner langen Tunika mit den fließenden Falten eines der größten Wunder der antiken Bildhauerkunst. Er verkörpert jene majestätische Einfachheit und jenen Ausdruck inneren Lebens, jene Anballung der Gefühle hinter dem Anschein der Ausgeglichenheit, jene unübertroffene Eleganz, die die unvergleich-

Plan des Gymnasions von Delphi. Es wurde im 4. Jahrhundert vor Christus erbaut und während der römischen Zeit restauriert; es umfaßte einen Laubengang (Xistos, 1), eine Rennbahm (Paradromis, 2), eine Palästra (3) mit einem von einem Perisytl umgebenen Hof, die Thermen (4) mit dem Becken des Kaltwasserbades (5) und einem Gebäude für das Warmwasserbad.

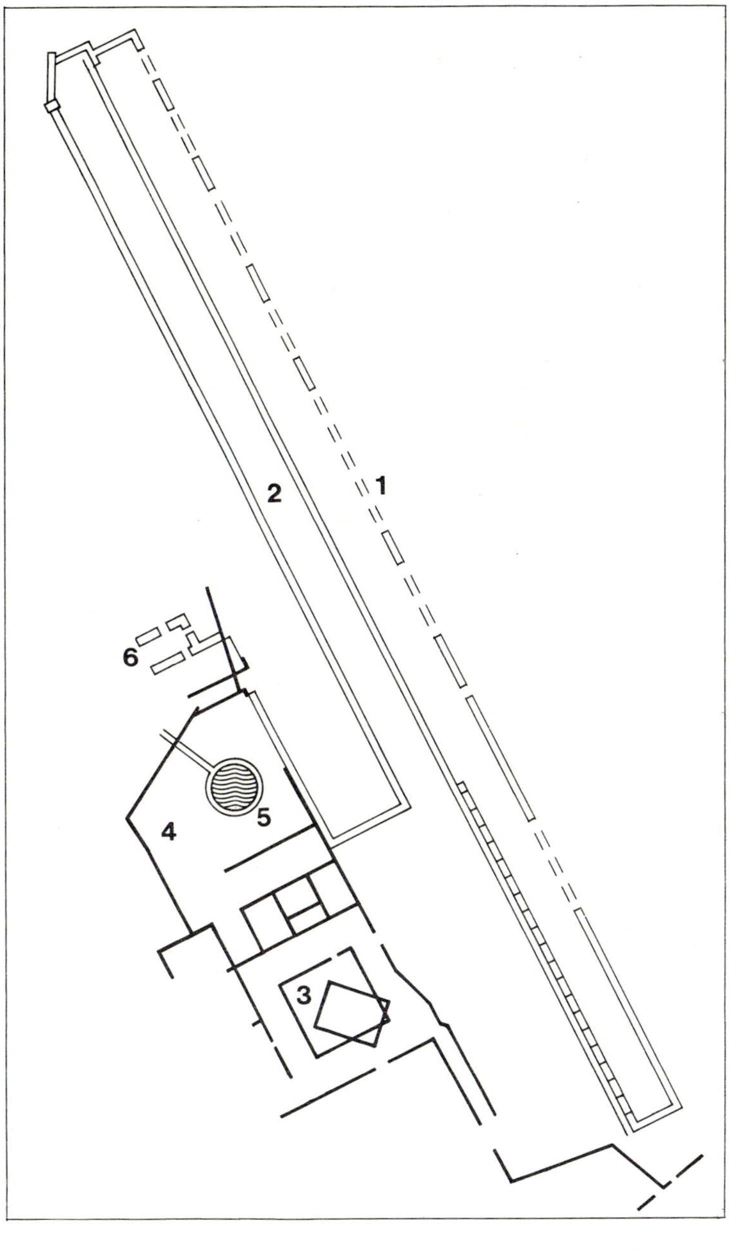

liche Größe der klassischen Kunst ausmachen. Man kann sie anhand der Fragmente der Metopen der Tholos der Marmaria, die ebenfalls aus attischen Werkstätten stammen, nur schwer beurteilen. Die Amazonen, bekleidet mit leichten, wellenförmig bewegten Tüchern, lassen uns jedoch den Verlust dieser Werke bedauern, die von Händen unbedeutenderer Meister aus der Tradition des Phidias stammen. Aus der Zeit Ende des 5. Jahrhunderts stammt ein anderes, ebenso unvollständig erhaltenes Meisterwerk, die Säule der Karyatiden, bekannt unter dem Namen die *Tänzerinnen von Delphi.* Die drei jungen Mädchen, die um eine Säule stehen, hielten eine Lorbeergirlande, die verlorengegangen ist. Die drei Tänzerinnen bewegen sich voller Würde, und ihre kurzen Gewänder umflattern ihre Körper; sie stellten vielleicht Thyiaden dar. Nur bei einer ist das Gesicht erhalten; sie hält den Kopf gebeugt, und ihr Ausdruck ist von einem eigenartigen Zauber; ein Lächeln beseelt das ernste Gesicht mit den feinen Zügen, das von leicht lockigem Haar umgeben ist.

Die Bildhauerkunst des 4. Jahrhunderts ist vor allem durch die sechs Statuen vertreten, die vom Ex-Voto des Daochos, einem thessalischen Fürsten, erhalten sind. Um 336 stellte er im Heiligtum neun Statuen auf; sie zeigten ihn selbst, seinen Sohn und einige seiner Vorfahren. Drei der aufgefundenen Statuen sind mit Tüchern bekleidet und haben keine Köpfe mehr, drei andere sind nackt, zwei von ihnen haben noch ihren Kopf. Die Statue des Agias ist die beachtlichste dieser Statuen und auch die am besten erhaltene. Es ist möglich, daß die Behauptung zutrifft, es handle sich um eine steinerne Kopie eines Originals aus Bronze, das von Iysippos, einem der berühmtesten griechischen Bronzegießer, angefertigt wurde. Bei dieser wunderbaren Statue wird die etwas schwerfällige Kraft des Athleten ausgeglichen durch die innere Spannung des Körpers, die die Hand eines großen Künstlers verrät.

Aus hellenistischer Zeit ist die schöne Statue eines „Philosophen" erhalten, mit einem ernsten und ausdrucksvollen Gesicht, bekleidet mit einem in leichte Falten gelegten Umhang. Die Gesichtszüge weisen auf die realistische Darstellungsform hin, die vom 2. Jahrhundert vor Christus an vorherrschen wird. Zum Schluß soll die herrliche Statue des Antinoos, eines von Kaiser Hadrian bevorzugten Jünglings, erwähnt werden, der im Nil ertrank. Die Statue ist mit Sicherheit idealisiert und ist in die Zeit des Niedergangs des Hellenismus einzuordnen, als es unter den Nachfolgern Hadrians zu einer kurzen neuen Blüte Delphis kam. Es war im 2. Jahrhundert nach Christus, als auch die römische Kunst versuchte, frisches Blut in die niedergehende griechische Kunst zu bringen. Es ist das Werk eines nicht besonders originellen Bildhauers, der jedoch seine Kunst voll beherrscht. Es ist ihm gelungen, die etwas schwerfällige Anmut des jugendlichen Körpers und die Traurigkeit des Blickes wiederzugeben, wie sie in den damaligen zeitgenössischen Werken anzutreffen sind; die antike Welt erstrahlt in einem letzten Glanz, bevor sie unter dem Ansturm der Barbaren untergeht.

Vorhergehende Seite: Links: Amphore mit der Darstellung eines Pferderennens (Ende 8. Jahrhundert vor Christus, Archäologisches Nationalmuseum, Athen); rechts oben ein Ölbehälter mit der Darstellung eines Wettlaufes (Metropolitan Museum of Art, New York); rechts unten Amphore mit Läufer (zweite Hälfte des 6. Jahrhunderts vor Christus), die auf Rhodos gefunden wurde und im British Museum in London aufbewahrt wird.
Natürlich ist es unmöglich, aus diesen Darstellungen den Ablauf der Sportwettkämpfe bei den panhellenischen Spielen des antiken Griechenlands zu rekonstruieren, ebenso wie unmöglich mit Sicherheit gesagt werden kann, welche Regeln bei diesen Spielen galten. Offensichtlich handelt es sich nicht um genaue Darstellungen, sondern um künstlerische Gestaltungen, auch wenn sie sich im wesentlichen an die Wirklichkeit halten. So sehr die Szene mit den Zuschauern (unten), die beim Pferderennen lebhafte „sportliche" Begeisterung zeigen, auch stilisiert sein mag, sie erinnert doch an die Massenveranstaltungen in unseren Stadien.

Unten: Fragment eines Kraters aus dem 6. Jahrhundert vor Christus, der aus Pharsalos, Thessalien, stammt. Dargestellt wird ein Pferderennen und aufgeregte Zuschauer auf den Treppen (Archäologisches Nationalmuseum, Athen).

Links: Kopf des Dionysos. Der Gott war nach Plutarch in den Wintermonaten, während Apollon bei den Hyperboreern an den Ufern des Ozeans weilte, im Heiligtum anwesend. Der Besuch Apollons bei den Hyperboreern erinnert daran, daß seine Mutter Leto sich bei den Hyperboreern aufgehalten haben soll, bevor sie auf der Insel Delos landete, wo sie Apollon und seine Schwester Artemis, Kinder des Zeus, zur Welt brachte. Welche Vorrechte und welche Macht Dionysos während der Abwesenheit Apollons besaß, ist strittig. Fest steht aber, daß in Delphi Feste zu Ehren des Dionysos stattfanden und alles, was das Orakel betraf, in engem Zusammenhang mit dem Dionysos-Kult stand.

Rechts: Bronzestatuette eines Flötenspielers aus der ersten Hälfte des 5. Jahrhunderts vor Christus. Der Künstler ist sehr realistisch und wirkungsvoll dargestellt. Bei den Pythischen Spielen war der gesamte vierte Tag den musischen Wettbewerben gewidmet, einem Zwischenspiel zwischen den religiösen Feierlichkeiten und den Sportwettkämpfen. Es kamen mit der Kithara (Lieblingsinstrument des Apollon) begleitete Hymnen und Flötenstücke zum Vortrag, in denen Episoden des Kampfes des Gottes gegen den Drachen Python besungen wurden. Außerdem fanden Dichterwettstreite statt und kamen Tragödien und Tänze zur Aufführung, die ebenfalls musikalisch begleitet wurden.

Rechts: Hellenistische Elfenbeinstatuette. Sie vermittelt ein genaues und eindrucksvolles Bild eines Tragödienschauspielers bei der Aufführung einer Szene.
Unten: Darstellung des Wettstreites zwischen Apollon mit der Kithara und Marsyas mit der Doppelflöte in Gegenwart eines Skythen, ein Werk aus der Schule des Praxiteles. Kithara und Flöte waren die Hauptinstrumente bei der Begleitung des griechischen Chors.
Rechte Seite: Ausschnitt einer Vase mit der Darstellung einer Szene aus der Medea *von Euripides.*

Folgende Seiten: Das Theater von Delphi. Es wurde im 4. Jahrhundert vor Christus auf einer älteren Anlage errichtet und von Eumenes II., König von Pergamon, im 2. Jahrhundert vor Christus restauriert. Das Theater erhebt sich auf einer Terrasse oberhalb des Apollon-Tempels. Der Zuschauerraum bot 5000 Plätze. Während der Festspiele kamen hier Dramen, Dichterwettstreite und musikalische Darbietungen zur Aufführung.
Ursprünglich bestand eine enge Verbindung zwischen den Theaterdarbietungen und den Kulthandlungen. Von Aristoteles wissen wir, daß die Tragödie das Ergebnis einer langen und komplexen Entwicklung der dithyrambischen Gesänge ist, die zu Ehren des Gottes Dionysos bei den ländlichen Festen und Initiationsfeiern angestimmt wurden. Im Laufe der vier großen dionysischen Feste in Athen fanden auch die bedeutendsten Theatervorstellungen statt. Daraus ergab sich, daß im Bewußtsein der Dichter und der Zuschauer das griechische Theater lange Zeit seinen religiösen Charakter beibehielt. Dies kam auch in der äußeren Form zum Ausdruck, wie zum Beispiel in den Kränzen, die Chorsänger und Chorleiter zum Zeichen ihrer Würde trugen. Außerdem wurde die Vorstellung durch eine von einem Priester des Dionysos gehaltene Zeremonie eingeleitet.

Links: Detail der Sphinx von Naxos (ca. 560 v. Chr.). Rechts: Eine der drei Plastiken der Säule der Karyatiden. Einige betrachten diese weiblichen Figuren als Thyiaden, das heißt Priesterinnen des Dionysos. Wie bei dem Großteil der Funde von Delphi ist auch der Spender dieser wahrscheinlich aus der Schule eines ionischen Künstlers aus dem 4. Jahrhundert vor Christus stammenden Skulpturen unbekannt. Man weiß hingegen, daß die Säule als Stütze eines Votiv-Dreifußes diente. Die drei Figuren standen ihrerseits auf einer hohen ausgekehlten Akanthussäule. Am oberen Ende geht die Säule in ein mit Blättern verziertes Kapitell über, das eine Akanthusblüte trägt. Die Gesamthöhe dieses originellen und großartigen Werkes beträgt dreizehn Meter. Die Tänzerinnen sind in ihrer Bewegung zurückhaltend. Die elegante Form der Körper wird durch die kurzen Tuniken hervorgehoben; das Gesicht (das auf der Abbildung erkennbare Gesicht ist als einziges erhalten geblieben) ist von ruhiger, gesammelter Schönheit.

Folgende Seiten: Links, die Säulen der Tholos des Tempels der Athena Pronaia; rechts, Detail der Verzierung des Altars (um 560 v. Chr.).

Links: Antinoos von Delphi, etwa aus dem Jahre 130 nach Christus, einer der jüngsten „klassischen" Funde auf dem Gebiet des Heiligtums. Antinoos, der Favorit des Kaisers Hadrian, starb im Jahre 130 unter mysteriösen Umständen, als er sich im Gefolge des Kaisers in Ägypten befand. In seinem Schmerz erklärte ihn der Kaiser zum Gott und befahl seinen Kult im gesamten Kaiserreich. Auf diese Weise gelangten Statuen des schönen Jünglings in alle Teile der Erde, von Afrika bis nach Griechenland und von Syrien bis nach Europa. Hadrian ließ an der Stelle, wo Antinoos starb, zu dessen Ehren die Stadt Antinopolis (das heutige Shekh Abadeh) errichten. Vielleicht war die Statue des Jünglings ein Geschenk des Kaisers an das Heiligtum des Apollon. Hadrian setzte sich, ebenso wie seine Nachfolger im Laufe des 2. Jahrhunderts, für die Wiederbelebung des Kultes in Delphi ein. Die späthellenistische Statue zeigt einen Jüngling mit vollkommenen Zügen und einem in Gedanken versunkenen Gesichtsausdruck, wie es sich für einen Gott geziemt, auch wenn dieser durch ein kaiserliches Dekret zu einem Gott gemacht wurde.

Die Kunstschätze Delphis

Links: Statue des Agias aus der zweiten Hälfte des 4. Jahrhunderts vor Christus (Museum von Delphi). Sie gehört zu einer Reihe von Geschenken, die dem Heiligtum des Apollon vom thessalischen Fürsten Daochos gemacht wurden. Er vertrat 338–334 vor Christus sein Volk in der delphischen Amphiktyonie. Die Gaben des Daochos umfassen neun Statuen, die ihn selbst, seine Söhne und einige seiner Vorfahren darstellen. Zu diesen gehört die Statue des Agias, der im 5. Jahrhundert vor Christus lebte; sie ist fast unversehrt erhalten geblieben, während die anderen durch die Zeiteinflüsse schwer beschädigt wurden. Agias gewann einen Ring- und Boxkampf bei den Olympischen Spielen, fünf Wettkämpfe bei den Nemeischen Spielen, drei bei den Pythischen und nochmals fünf bei den Isthmischen Spielen. Die vollkommene Ausgewogenheit des kräftigen Körpers und die gelungenen Proportionen machen die Statue zum bedeutendsten Werk der Bildhauerkunst des 4. Jahrhunderts vor Christus. Mit Sicherheit handelt es sich um das Werk eines großen Meisters, wahrscheinlich des Lysippos, der einen für die hellenistische Zeit neuen Stil einführte. Eine ähnliche Statue wurde in Pharsalos in Thessalien gefunden. Sie trägt die Inschrift „Dies ist ein Werk des Lysippos von Sikyon". Mit großer Wahrscheinlichkeit ist diese Marmorstatue eine zeitgenössische Kopie der Statue von Pharsalos und wurde entweder vom Meister selbst oder mit seiner Erlaubnis von einem seiner Schüler angefertigt.

Rechts: Bronzepferd aus dem 8. Jahrhundert vor Christus, ein „primitives" Werk aus dem Zeitalter des sogenannten geometrischen Stils, der gekennzeichnet ist durch die extreme Einfachheit und Wesentlichkeit der Formen.

Seiten 97, 98 und 99: Goldtäfelchen aus der Zeit Mitte des 6. Jahrhunderts vor Christus, auf denen stilisierte mythologische Tiere dargestellt sind.

Korinthische Keramiken aus dem 8. Jahrhundert vor Christus (links) und aus der Zeit Mitte des 7. Jahrhunderts (rechts), die in Delphi gefunden wurden. Sie gehören zu den ältesten und gut erhaltenen Stücken, die auf dem Gebiet des Heiligtums gefunden wurden. Die Tatsache, daß eine bedeutende Stadt wie Korinth es für notwendig hielt, das Orakel des Apollon zu befragen, zeugt für das gefestigte und allgemein verbreitete Ansehen, das das Orakel zwischen dem 8. und 7. Jahrhundert erreicht hatte. Von diesem Moment an bedeutete die Befragung des Orakels eine Art Sicherheit für den gewünschten Verlauf der Innen- und Außenpolitik (und damit für die wirtschaftliche Entwicklung). Um die politische Kontrolle über das Heiligtum wurden vier Kriege geführt; sie wurden als „heilige“ Kriege bezeichnet, weil durch sie die Unverletzlichkeit des Heiligtums garantiert und Schändungen desselben gerächt werden sollten. Der erste Krieg dauerte 10 Jahre (600–590 v. Chr.) und wurde verursacht durch das Aufbegehren Delphis gegen die Vorherrschaft von Krisa, der Hauptstadt von Phokis. Mit Hilfe der Athener, der Thessalier und der Bewohner von Sikyon machten die Delphier Krisa dem Boden gleich und erlangten somit ihre Unabhängigkeit. Die Athener wurden Protagonisten auch des zweiten Heiligen Krieges (448 v. Chr.), als sie unter der Führung des Perikles ihre Vorherrschaft über ganz Griechenland ausdehnten. Athen teilte den Phokern zum Zeichen dafür, daß die attische Stadt die Region beherrschte, die Jurisdiktion über das Heiligtum zu. Die Absicht mißlang jedoch, und die Delphier behielten ihre Unabhängigkeit. Die Ursache für den dritten Krieg (356–346 v. Chr.) war der Versuch der Phoker, unterstützt von den Athenern und Spartanern, den Thebanern den „Besitz“ des Orakels zu entreißen. Dieser neuerliche Krieg ermöglichte es schließlich Philipp II. von Makedonien der delphischen Amphiktyonie beizutreten und die Phoker der Macht zu entheben. Der vierte Heilige Krieg (340–338 v. Chr.) brachte die endgültige Vorherrschaft Makedoniens über Griechenland. Da Amphissa das Verbot außer acht gelassen hatte, die Ebene von Krisa zu bebauen, bot sich Philipp II. ein Vorwand zum erneuten Einschreiten. Als Amphissa zerstört war, stand der Makedonier den Athenern und Thebanern gegenüber, die er bei Chaironeia (338 v. Chr.) schlug.

Bronzearbeit aus dem 7. Jahrhundert vor Christus, in Delphi gefunden. Sie stellt die berühmte Episode aus der Odyssee *dar, die erzählt, wie Odysseus sich unter einen Widder bindet und aus der Höhle des Zyklopen flüchtet: „Es gab einen Widder, den schönsten der ganzen Herde; / ich faßte ihn um die Nieren, ausgestreckt unter dem wolligen Bauch / lag ich; und mit den Händen die herrliche Wolle drehend / hielt ich mich fest mit geduldigem Herzen.“*

Ein in Delphi gefundener mächtiger Bronzestier, ein Beispiel der archaischen Kunst des 7. Jahrhunderts vor Christus. Zu den Riten, die Voraussetzung waren für den Zugang zum Tempel, gehörte auch die Beobachtung des Verhaltens der Opfertiere, im allgemeinen Stiere, Wildschweine oder Ziegen. Dem Stier wurde Mehl zu fressen gegeben; wenn er es ablehnte, wurde er als unrein betrachtet, und es wurde sowohl das Opfer als auch der Zutritt zum Orakel verweigert.

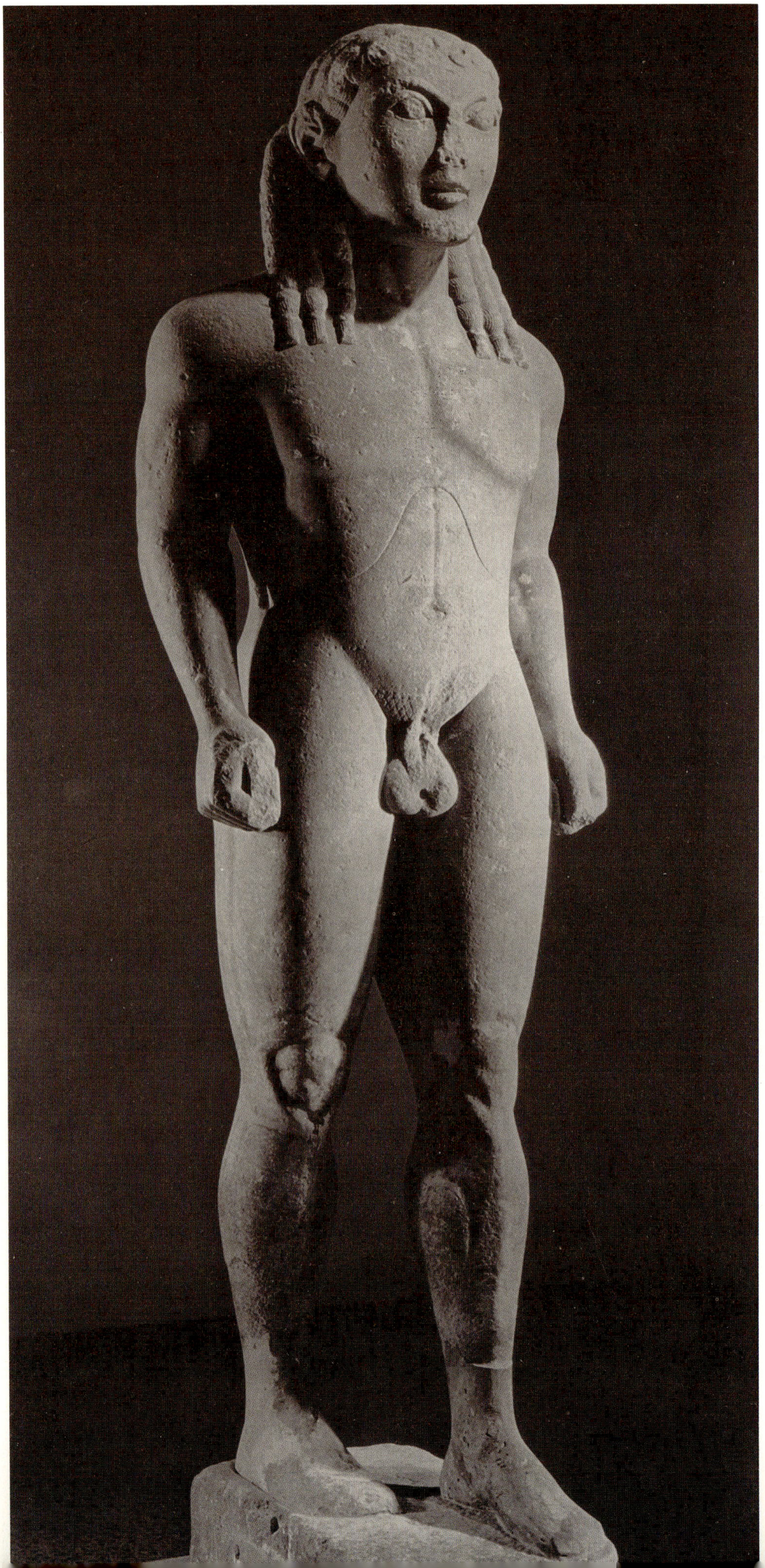

Links und rechts: Statuen des Kleobis und des Biton (Museum von Delphi) aus den ersten Jahren des 6. Jahrhunderts vor Christus. Sie werden allgemein als Werk des Polymedes von Argos betrachtet (auf dem Sockel ist nur ... medes, der Schlußteil des Namens, zu lesen). Er gehört zu den berühmtesten Bildhauern der archaischen Kunst. Die Statuen waren ein Geschenk der Bewohner von Argos an das Heiligtum des Apollon. Sie stehen im Zusammenhang mit einer mythischen Episode, deren Protagonistin die in Argos wirkende Hera-Priesterin ist. Herodot berichtet, daß sie zwei Söhne hatte, Kleobis und Biton, denen sie besonders zugetan war. Eines Tages, als die Ochsen, die vor den Wagen der Mutter gespannt werden sollten, nicht bereit standen, zogen die Söhne den Wagen der Mutter über eine Entfernung von 45 Stadien, fast zehn Kilometer, zum Tempel der Göttin. Die Mutter bat die Göttin um das größte Geschenk, das Sterblichen zuteil werden könne. Hera erfüllte den Wunsch der Mutter und ließ die beiden in der gleichen Nacht im Schlaf sterben. In den Skulpturen des Polymedes kommt auf wunderbare Weise die athletische Kraft der beiden Jünglinge zum Ausdruck. Die Werke gehören zur archaischen Schule des Peloponnes.

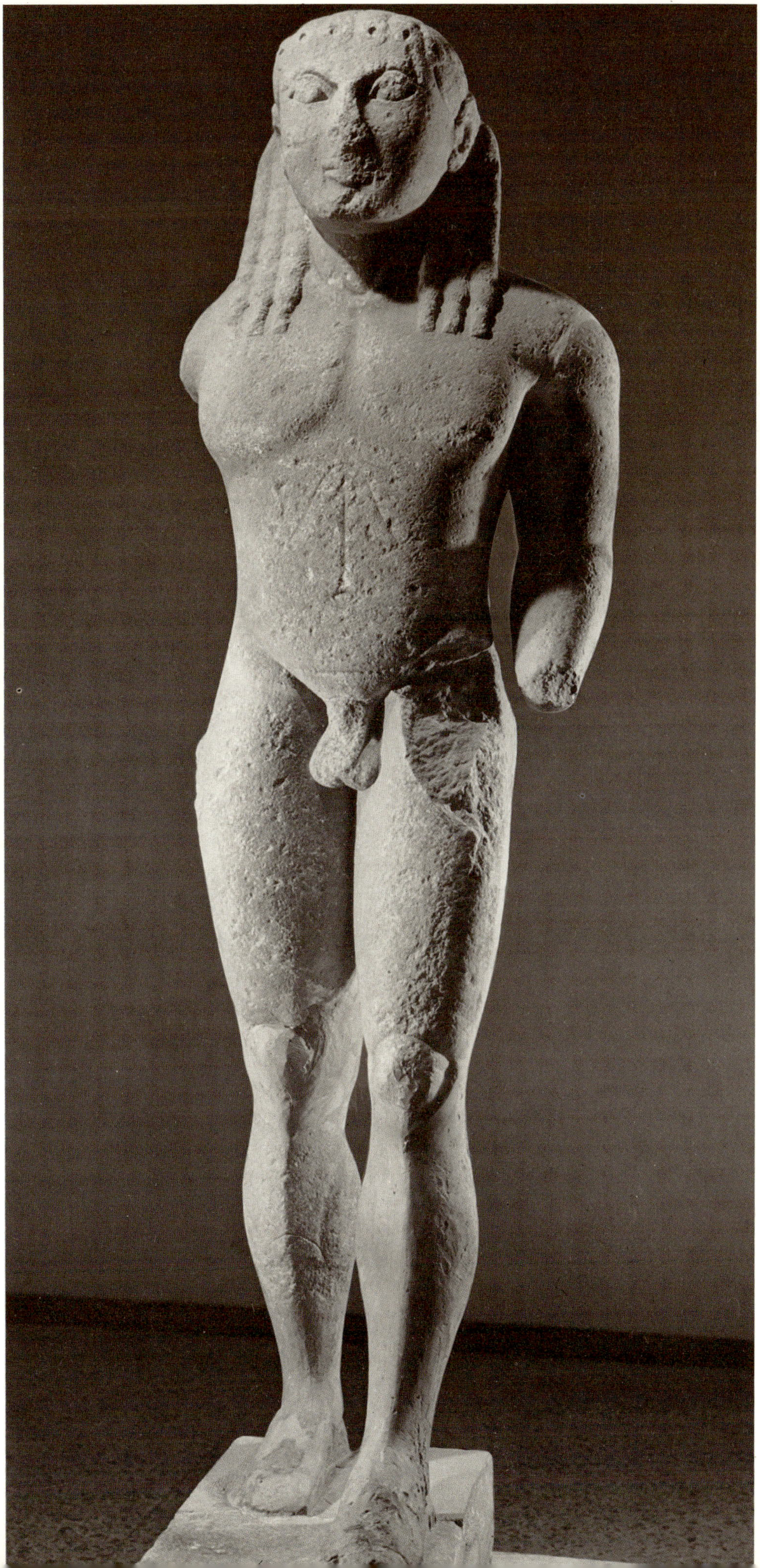

Elfenbeingruppe, die den Mythos des Phineus darstellt, Teil der Verzierung des Schatzhauses von Sikyon (Museum von Delphi). Der Mythos des Phineus erscheint selten in den großen Bildhauerwerken Griechenlands, obwohl er im Zusammenhang steht mit dem sehr verbreiteten Mythos der Argonauten. Phineus, Sohn des thrakischen Königs Agenor, war wegen seiner Ruchlosigkeit von der Sonne (eine der Manifestationen Apollons) dazu verdammt, die Qualen der Harpyien zu ertragen. Aus dieser Lage befreiten ihn Zetes und Kalaïs, Söhne des Boreas, die gemeinsam mit den Argonauten des Jason in die Gegend gekommen waren. Nach einer anderen Version des Mythos wurde Phineus hingegen von Zetes und Kalaïs geblendet, aus Rache für ihre Schwester Kleopatra, der Frau des Phineus, deren Kinder er geblendet hatte. Die Tatsache, daß der Mythos des Phineus in den Dekorationen eines Bauwerkes von Delphi erscheint, läßt sich vielleicht dadurch erklären, daß die Rächer zu den Argonauten gehörten, die von Jason auf der Suche nach dem Goldenen Vlies nach Kolchis an den Ufern des Schwarzen Meeres geführt worden waren. Die Dekoration des Schatzhauses von Sikyon war den Unternehmungen der Argonauten gewidmet. Mindestens zwei Metopen beziehen sich auf den Mythos des Jason, bei dem das Orakel des Apollon eine entscheidende Rolle spielt. Nicht nur dieses Unternehmen der Argonauten war vom delphischen Orakel angeregt worden, sondern es war auch das Schicksal des Königs Pelias von Iolkos vorausgesagt worden. Dieser wollte sich von Jason befreien und hatte ihn beauftragt, das Goldene Vlies zurückzubringen. Das Orakel hatte prophezeit, daß er durch die Hand eines Nachkommen des Jason sterben sollte.

Die Ruinen des Schatzhauses von Sikyon. Das einfache kleine Gebäude wurde um 560 vor Christus erbaut, wahrscheinlich auf Befehl des Tyrannen von Sikyon, Kleisthenes, des Großvaters mütterlicherseits des gleichnamigen Gesetzgebers von Athen. Während der ersten Jahrzehnte des 6. Jahrhunderts hatte Kleisthenes enge Kontakte zur athenischen Familie der Alkmeoniden geknüpft, indem er seine Tochter Agariste mit Megakles, einem Sohn des berühmten attischen Genos, *verheiratete. Einige Jahre zuvor hatten die beiden Städte Athen und Sikyon im Verlauf des ersten Heiligen Krieges gemeinsam den siegreichen Aufstand Delphis gegen die Phoker unterstützt. Der Bau des Schatzhauses ist ein sichtbares Zeichen für die Bande, die die Familie des Kleisthenes mit Apollon verband. Ein zweites wurde von den Sikyonern zwischen dem Ende des 6. und dem Beginn des 5. Jahrhunderts vor Christus erbaut, wobei zum Teil das Material des von Kleisthenes errichteten Gebäudes Verwendung fand. Es war ein kleines Gebäude mit vier Säulen an der Fassade und zwei Säulen an der Seite. Die Metopen sind wegen ihrer rechteckigen und nicht quadratischen Form ungewöhnlich. Sie füllen den gesamten Raum zwischen den einzelnen Säulen aus, denn die Triglyphen sind nur über der Achse der Säulen selbst angebracht und nicht, wie gewöhnlich, auch in den Interkolumnien. Daraus ergeben sich außergewöhnlich lange Metopen, auf denen mehr Raum für Verzierungen zur Verfügung steht.*

Unten und auf der Nebenseite: Zwei Metopen des Schatzhauses von Sikyon mit der Darstellung des kalydonischen Ebers und der Dioskuren Kastor und Polydeukes mit den Rindern des Idas und des Bruders Lynkeus, dessen Bild verlorengegangen ist. Die Metopen werden im Museum von Delphi aufbewahrt. Auch diese beiden Episoden der griechischen Mythologie stehen indirekt im Zusammenhang mit Jason und den Argonauten (und damit mit dem Orakel von Delphi), weil sowohl die Dioskuren, als auch Lynkeus und Idas am Argonautenzug zur Eroberung des Goldenen Vlieses beteiligt waren. Lynkeus und Idas nahmen ebenfalls an der Kalydonischen Jagd auf den Eber teil, der von Artemis gesandt worden war, um die Ländereien der Stadt Kalydon (daher der Name des Ebers) zu zerstören, weil sie von Oineus, dem Herrscher dieser Region, beleidigt worden war. Die Dioskuren Kastor und Polydeukes, Söhne des Zeus, waren gemeinsam mit Helena aus den Eiern hervorgegangen, die Leda geboren hatte. Die vor allem auf dem Peloponnes verehrten dorischen Helden, führten ihre Unternehmungen stets gemeinsam durch. Kastor war als Rossebändiger bekannt, Polydeukes war ein geschickter Boxer. Die rechts unten dargestellte Episode bezieht sich auf Raub der Rinder des Idas und Lynkeus durch die beiden Helden, was zu dem tragischen Zwist zwischen den beiden Geschwisterpaaren führte, der Idas und Kastor das Leben kostete. Polydeukes konnte sich jedoch nicht mit dem Tod seines Bruders abfinden. Nach Pindar, der den Mythos in Verse gefaßt hat, bat Polydeukes Zeus, seinen Vater, um den eigenen Tod. Der oberste der Götter soll ihm ge-

antwortet haben: „Ich lasse dir die volle Freiheit der Wahl: wenn du dem Tod und dem widerwärtigen Alter entfliehend dich im Olymp aufhalten willst ... wird dir dein Teil davon zuteil werden. Wenn du jedoch darauf bestehst, deinen Bruder zu verteidigen und glaubst, er müsse das gleiche Schicksal haben wie du, dann mußt du die eine Hälfte deines Lebens in der Unterwelt und die andere Hälfte in den goldenen Häusern des Himmels wohnen." Polydeukes entschied sich für den Bruder, und die Geschichte wurde zum Symbol für die unauflösliche Freundschaft.
Diese großartig aufgebaute und ausgeführte Metope erreicht ein außergewöhnlich hohes künstlerisches Niveau. Das Abwenden vom archaischen Schema, die unglaubliche Bewegung, die unterstrichen wird durch die Anordnung der Beine der Tiere, deren Konturen gegeneinander versetzt sind und sich so voneinander abheben, und die gleichmäßig schräg verlaufenden aber nicht geometrisch angeordneten Speerpaare, lassen in dem Werk eine geniale Phantasie und eine seltene Kunstfertigkeit erkennen. Die Reliefs sind aus Kalkstein von Sikyon gefertigt, was darauf schließen läßt, daß sie wahrscheinlich das Werk eines Bildhauers aus dieser Stadt sind, dessen Name jedoch nicht bekannt ist.

Folgende Seiten: Giebelfries des Schatzhauses von Athen. Er wurde zwischen 490 und 485 vor Christus errichtet und trägt als Inschrift eine Widmung an Apollon von seiten der Athener, die an die Schlacht von Marathon und den Sieg über die Perser erinnert.

ΕΛΦΟΙ
ΕΠΟΙΗΣΑΝΤΟ

Links: Metope von der Südseite des Schatzhauses der Athener. Sie zeigt Herakles, der die Hirschkuh von Keryneia mit dem goldenen Geweih und den Beinen aus Kupfer fängt. Es wird hier eine der zwölf Arbeiten des Helden dargestellt. Die der Artemis heilige Hirschkuh konnte nicht getötet werden, und Herakles verfolgte sie ein Jahr lang, bis es ihm gelang, sie mit einem Pfeil zu treffen. Die Wahl des Herakles-Stoffes für die Verzierung eines Tempels in Delphi war nicht zufällig. Nach dem Mythos soll Herakles seinen Namen direkt von Apollon oder indirekt über die Pythia erhalten haben. An der Hauptfassade ist der Kampf der griechischen Helden gegen die Amazonen dargestellt, ein Symbol für den siegreichen Kampf von Hellas (und vor allem Athens) gegen die Perser. Die plastische Verzierung des Tempels ist außerdem den Unternehmungen des athenischen Helden Theseus gewidmet, der mit Hilfe Ariadnes den wilden Minotauros tötete.
Rechts und unten rechts: Zwei Metopen von der Südseite: Theseus, der gegen Antiope, Königin der Amazonen, kämpft und Theseus, der den Minotauros besiegt.
Unten: Metope vom Nordgiebel mit einer Kampfszene.

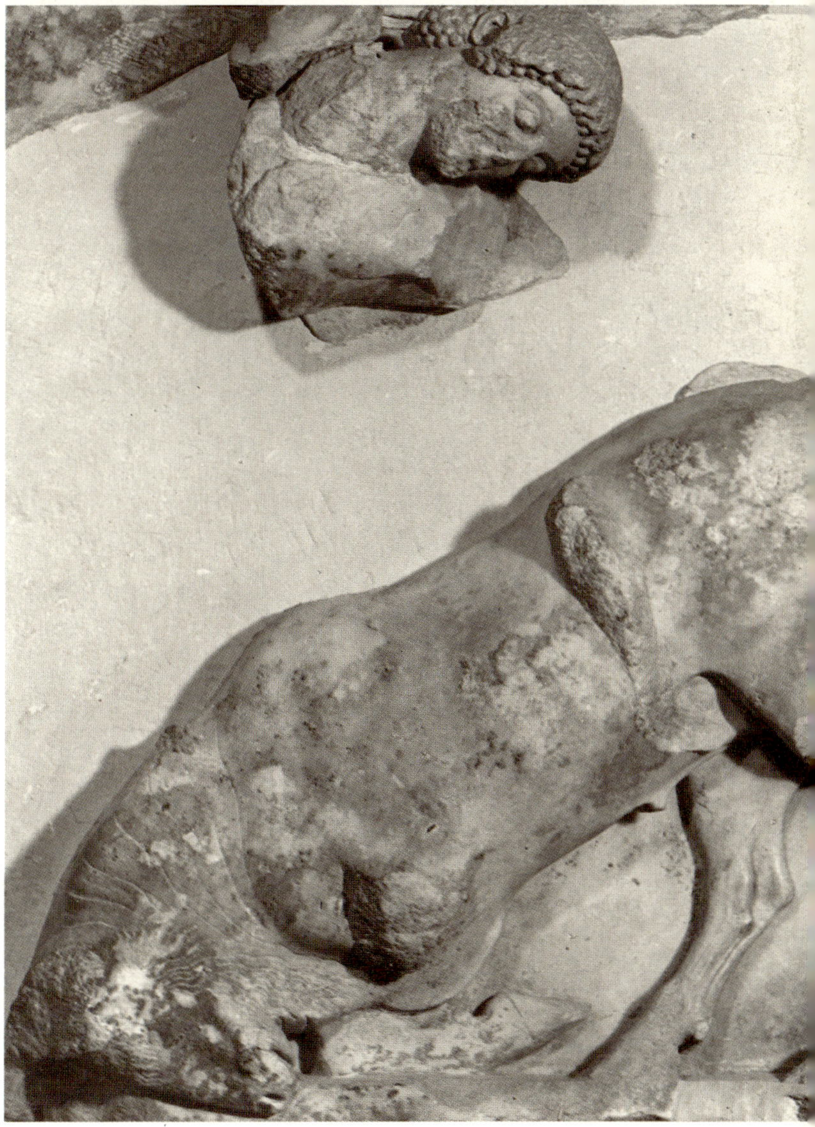

Links: Statue der geflügelten Siegesgöttin von dem archaischen Apollon-Tempel. Es handelt sich um ein Akroterion, das an dem Giebel angebracht war.
Unten: Die Ruinen des Schatzhauses von Siphnos, das neben dem von Sikyon lag und um 525 vor Christus erbaut wurde. Es ist das erste Bauwerk Griechenlands, das aus dem wertvollen parischen Marmor errichtet wurde. Die Spender, die Bewohner von Siphnos, einer der reichsten Inseln der Kykladen, erlangten ihren großen Reichtum aus dem Ertrag ihrer Gold- und Silberminen. Was dem Schatzhaus jedoch in der Antike und bis in unsere Tage seinen Ruhm verlieh, war nicht die Tatsache, daß es aus Marmor gebaut war, sondern war seine außergewöhnlich schöne Verzierung. Das Schatzhaus war mehr ein Werk der Bildhauerkunst als der Architektur. Die Wände und die Balken waren mit Reliefs verziert, und zwei Statuen bildeten die Säulen (die Karyatiden, später allgemein bekannt durch das Erechtheion auf der Akropolis von Athen). Entlang des Architravs verlief an allen vier Seiten ein prachtvoller Fries, eines der beachtlichsten Werke der archaischen Zeit. Am Ostgiebel ist der Streit zwischen Apollon und Herakles um den Besitz des Dreifußes dargestellt. Die folgenden Seiten zeigen Athena, die in den Streit zwischen Herakles (der erste rechts) und Apollon eingreift.

Unten: Detail des Südfrieses des Schatzhauses von Siphnos. Das Basrelief stellt den Raub der Leukippiden durch die Dioskuren Kastor und Polydeukes dar. Noch einmal sind die beiden Brüder, Kinder des Zeus, Protagonisten einer Geschichte, die zur Erbauung der „Gläubigen" berichtet wurde, die den heiligen Bezirk in Delphi besuchten. Die Geschichte, die auf dem Fries dargestellt wird, handelt von zwei Töchtern des Leukippos, die die Dioskuren heiraten, nachdem sie von ihnen geraubt worden waren. An dieser Version des Mythos sind auch die Brüder Idas und Lynkeus beteiligt, die auch auf dem Fries des Schatzhauses von Sikyon dargestellt sind. Die Reliefs der Süd- und Westseite des Schatzhauses von Siphnos sind besonders schlecht erhalten. Das Fragment mit den vier Pferden ist eines der wenigen erhaltenen Teile, das allerdings im Vergleich zu den Reliefs der Ost- und Nordseite wenig bedeutend ist. Die unten dargestellten Pferde wirken konventionell und statisch. Im Gegensatz dazu sind die drei Figuren des Ostfrieses mit ihren in schöne Falten gelegten Gewändern, die auf der rechten Seite abgebildet sind, von großer Lebendig-

keit. Bei den Gestalten handelt es sich um Aphrodite, Artemis und Apollon, die gemeinsam mit Ares und Zeus (auf der Abbildung nicht zu sehen) einer Schlacht des langen und blutigen Trojanischen Krieges beiwohnen.

Folgende Seiten: Der Fries der Nordseite mit der Darstellung der Gigantomachie. Die Götter greifen von links an. Im oberen Streifen sind erkennbar: zwei Giganten; Dionysos und Kybele fahren auf einem von Löwen gezogenen Wagen; Apollon und Artemis greifen den Giganten Kantaros an; ein Gigant liegt tot am Boden, die anderen bereiten sich auf den Angriff der olympischen Götter vor. Auf dem unteren Streifen erkennt man in der Mitte Ares, der über einen getöteten Giganten steigt und sich zwei weiteren stellt; Hermes (Merkur) mit seiner typischen konischen Mütze wartet auf zwei weitere Feinde. Die handlungsreiche Erzählung wird in komprimierten Szenen dargestellt, die verbunden sind durch eine Linie, die die szenische Bewegung zusammenfaßt und weiterentwickelt.

Unten: Detail vom Nordfries des Schatzhauses von Siphnos. Diese lebendige Darstellung läßt den ungestümen Rhythmus verspüren, der das Basrelief erfüllt. Die Wucht des Zusammenstoßes und die Leidenschaft der Gegner sind mit außergewöhnlicher Ausdruckskraft und Intensität dargestellt. Die einzelnen Ebenen liegen übereinander, ohne sich zu vermischen, und zeugen von großem Geschick und technischer Fertigkeit. Der Name des genialen Bildhauers, der die Szenen geschaffen hat, ist nicht überliefert. (Wahrscheinlich ist es der gleiche, der die Götter gestaltet hat, die der Schlacht zwischen den Griechen und den Trojanern beiwohnen; vergleiche Seite 121). Wegen der Ausdruckskraft seiner Werke, seiner Phantasie und seiner vollendeten Technik gilt er als der bedeutendste Künstler seiner Zeit.

Folgende Seite: Marmorkopf aus der zweiten Hälfte des 2. Jahrhunderts vor Christus.

Oben und Nebenseite: Reliefs eines römischen Sarkophags aus dem 2. Jahrhundert nach Christus. Sie stammen aus der gleichen Zeit wie die Bodenmosaiken auf den beiden folgenden Seiten und sind Zeugnisse (sicher nicht die einzigen und auch nicht die ersten) für die in Delphi eingetretenen Veränderungen. Die Tatsache, daß Griechenland römische Provinz geworden war, hatte auf religiösem Gebiet keinerlei Folgen mit sich gebracht, und das Heiligtum blieb weiterhin ein Bezugspunkt für die griechische Kultur und Tradition. Sobald sich den Römern die Gelegenheit bot, hatten sie Besitz von dem Heiligtum ergriffen, ohne es jedoch offen zu zeigen. Einerseits versuchten zuerst Kaiser Hadrian und dann seine Nachfolger, Delphi zu einem neuen Aufschwung in seiner Rolle als geistiges und religiöses Zentrum zu verhelfen, andererseits belegte Rom das Heiligtum mit Beschlag, als die politischen Umstände dazu zwangen, sich intensiver mit dem östlichen Mittelmeerraum zu befassen. Nachdem es Karthago und Hannibal im Jahre 202 vor Christus in die Knie gezwungen hatte, hatte sich Rom zur Weltmacht entwickelt. Die Herrschaft Roms über Delphi begann kurze Zeit nach der Niederlage Karthagos, das heißt im Jahre 191 vor Christus nach der Niederlage des Antiochos von Makedonien bei den Thermopylen. In diesem Jahr grenzte der Konsul Manius Acilius Glabrio den heiligen Bezirk von Delphi ab und berief einen Senatus consultus, *der die Unabhängigkeit Delphis, natürlich unter der Schirmherrschaft Roms, festlegte. Nach dem Sieg von Pydna über Perseus, den König von Makedonien, ließ im Jahre 168 vor Christus der Konsul Lucius Aemilius Paullus im Heiligtum seine Statue auf der Säule errichten, auf der der besiegte Herrscher zuvor seine eigene aufgestellt hatte. Während der gleichen Jahrzehnte richteten die Könige von Pergamon ihre besondere Aufmerksamkeit auf Delphi. Sie überschütteten das Heiligtum mit Geschenken und Reichtümern, wodurch sie den religiösen und kulturellen Aktivitäten*

Auftrieb verliehen. Im Verlauf des Krieges gegen Mithridates, König von Pontos, zog Sulla 86 vor Christus die Tempelschätze als Kriegsbeute ein. Im 1. Jahrhundert vor Christus mußte das Orakel zumindest noch eine gewisse moralische Bedeutung besessen haben, wenn selbst Cicero es nicht verschmähte, das Orakel zu befragen. Der wenn auch langsame Verfall Delphis war jedoch unvermeidbar, denn die alte Welt nahm unter den politischen und religiösen Spannungen der Zeit rasch eine andere Entwicklung. Augustus selbst versuchte, das Schicksal des Heiligtums positiv zu beeinflussen. Unter seiner Herrschaft konnte man im Heiligtum noch mehr als 3000 Statuen betrachten. Dann kam Nero. Er war von Griechenland stark begeistert, und nachdem er 500 Statuen geraubt hatte und nach Rom bringen ließ, schenkte er Delphi hunderttausend Dinare. 79 nach Christus hatte Kaiser Titus den Vorsitz in der delphischen Amphiktyonie. Kaiser Hadrian übernahm dieses Amt zweimal in den Jahren 126 und 129 und besuchte mehrmals das Heiligtum. Den letzten Besuch stattete er im Jahre 129 mit seinem Favoriten Antinoos ab, dessen Statue bei den Ausgrabungen gefunden wurde. Im 2. Jahrhundert widmeten die römischen Herrscher dem Apollon-Tempel besondere Aufmerksamkeit. Das Orakel übte seine Funktion weiterhin aus und verkündete seine Sprüche. Im 3. Jahrhundert berichtet der hl. Cyprianus, der zwischen 200 und 257 lebte, davon, daß noch immer das Drama von der Tötung des Drachen Python aufgeführt wird. Aber während der Herrschaft Kaiser Julians (zwischen 361 und 363) wird von einem bedeutungsvollen Orakel des Apollon berichtet, in dem der Gott sagt, daß er „keine Grotte, keinen Lorbeer, keine prophetische Quelle mehr besitzt". Noch lange vor dem Edikt des Theodosius, mit dem im Jahre 392 das Christentum zur Staatsreligion des römischen Reiches erklärt wurde, war das Heidentum bereits überwunden. Delphi wurde zwei Jahre später, im Jahre 394, als heidnische Kultstätte geschlossen.

*Griechische Inschrift aus römischer Zeit auf einer Stele in Delphi. Es handelt sich um eine Widmung der Bewohner der Stadt (*Delphoi *ist auf der ersten Zeile zu lesen) an einen nicht näher bekannten Biboullion, mit Sicherheit ein Römer, der sich durch eine Schenkung oder durch einen Beitrag zum Wiederaufbau eines Tempels oder eines Gebäudes innerhalb des heiligen Bezirks Verdienste erworben hat. Trotz der Unterstützung durch römische Kaiser verlor Delphi durch den ständigen Rückgang der religiösen und politischen Anziehungskraft an Bedeutung, und als Folge davon fehlte es auch an finanziellen Mitteln. Es ist daher einzelnen Gönnern zu verdanken (zu denen wahrscheinlich auch der oben erwähnte Biboullion gehört), daß der Verfall der Heiligtümer und anderen Zeugnissen einer großen Kultur hinausgezögert wurde.*

Frühchristlicher Marmoraltar aus dem 5. Jahrhundert, der unter den Trümmern von Delphi gefunden wurde. Die Tatsache, daß der Kult zwei Jahre nach dem Edikt des Theodosius im Jahre 392 verboten wurde, zeigt, welche Bedeutung und Anziehungskraft das Orakel von Delphi noch immer besessen haben muß. Die antiheidnische Politik des Kaisers Theodosius hatte eine heftige Reaktion in den westlichen Ländern zur Folge und führte zu einem regelrechten Glaubenskrieg zwischen Theodosius und dem heidnischen Usurpator Eugenius. Mit dem Sieg des Theodosius und der endgültigen Niederlage des Heidentums war das Schicksal Delphis besiegelt. Einige Jahrzehnte später wurde westlich des verlassenen Heiligtums eine christliche Basilika errichtet.

Sonnenuntergang in Delphi. „Dort erhebt sich strahlend die Quadriga. Helios verbreitet bereits das Licht über die Erde und die Sterne ziehen sich zurück vor dem Feuer, das den Äther entzündet, und flüchten in die heilige Nacht. Und die unberührten Gipfel des Parnaß, im Lichte erstrahlend, empfangen für die Menschen die Scheibe des Tages. Und der Rauch der getrockneten Myrrhe erhebt sich über dem Bett des Apollon und die delphische Priesterin sitzt beim heiligen Dreifuß, um den Hellenen die hochtönende, von Apollon ausgesprochene Prophezeiung zu singen" (Euripides).

Chronologie

5.–4. Jt. v. Chr. Erste Spuren einer Ansiedlung an der Stelle, an der später das Heiligtum der Athena Pronaia in Delphi errichtet wurde.

15. Jh. v. Chr. Nachweisbare Verehrung der Erdgöttin Gaia in Delphi. Prophezeiungen durch Deutung des Rauschens der Bäume und den Lauf des Wassers. Der Drache Python soll das Orakel beschützt haben.

12. Jh. v. Chr. Apollon bemächtigt sich des Heiligtums. Er verdrängt die Erdgöttin Gaia und tötet Python.

8. Jh. v. Chr. Das Apollon-Orakel in Delphi erlangt große Bedeutung im Leben des griechischen „Volkes" und wird ein Zentrum des „Panhellenismus". Die griechischen Stämme und Städte befragen das Orakel vor allen wichtigen Unternehmungen (Krieg, Gründung von Kolonien u. a.).

600–590 v. Chr. Erster Heiliger Krieg. Der Krieg entstand aus der Auflehnung der Delphier gegen die Vorherrschaft der benachbarten Stadt Krisa, dem Hauptort von Phokis, der eine Art Schutzherrschaft über das Heiligtum ausübte. Mit Hilfe der Athener, Thessalier und anderen siegen die Delphier über Krisa, das dem Erdboden gleichgemacht wird. Von diesem Zeitpunkt an wird Delphi formal von einem „gesamtgriechischen" Rat verwaltet.

582 v. Chr. Die Pythischen Spiele erlangen ihre endgültige Form. Sie finden alle 4 Jahre statt.

um 560 v. Chr. Bau des Schatzhauses von Sikyon.

548 v. Chr. Der Apollon-Tempel von Delphi wird durch ein Feuer zerstört.

Ende 6. Jh. v. Chr. Auf Veranlassung der athenischen Familie der Alkmeoniden wird der durch Feuer zerstörte Apollon-Tempel neu erbaut.

um 525 v. Chr. Bau des Schatzhauses von Siphnos.

518 v. Chr. Geburt des Pindar, dessen religiöse Dichtung stark von Delphi beeinflußt ist; er feiert in seinen Epinikien zahlreiche Sieger der Pythischen Spiele.

490 v. Chr. Schlacht von Marathon. Die Griechen besiegen die Perser und vereiteln damit deren Versuch, Griechenland zu unterwerfen.

490–485 v. Chr. Die Athener errichten mit der Beute, die sie im Kampf gegen die Perser gemacht haben, ihr Schatzhaus in Delphi.

480 v. Chr. Schlacht von Salamis. Die Griechen versprengen die persische Flotte und zwingen Xerxes zum Rückzug. Ein Felssturz zerstört den Tempel der Athena Pronaia in Delphi.

um 448 v. Chr. Zweiter Heiliger Krieg. Die Delphier lehnen sich gegen die Entscheidung Athens und des Perikles auf, das Heiligtum wieder an die Phoker zu geben. Mit der Hilfe von Sparta erlangt Delphi wieder seine Unabhängigkeit.

431 v. Chr. Ausbruch des Peloponnesischen Krieges zwischen Athen und Sparta.

418 v. Chr. Tod Pindars.

405 v. Chr. Mit der Schlacht von Aigospotamoi endet der Peloponnesische Krieg. Vorherrschaft Spartas in Griechenland.

4. Jh. v. Chr. Bau des Gymnasions und des Theaters in Delphi.

373 v. Chr. Ein Erdbeben zerstört den Apollon-Tempel in Delphi.

370 v. Chr. Beginn der Bauarbeiten für den neuen Apollon-Tempel.

356 v. Chr. Geburt Alexanders des Großen.

356–346 v. Chr. Dritter Heiliger Krieg. Die von Athen und Sparta unterstützten Phoker versuchen, Theben das Heiligtum von Delphi zu entreißen. Philipp II. von Makedonien greift auf seiten der Thebaner in den Kampf ein und erhält im Amphiktyonenrat die beiden Stimmen der Phoker.

340–338 v. Chr. Vierter Heiliger Krieg. Makedonien erlangt endgültig in Griechenland die Vormachtstellung. Der Krieg wird ausgelöst durch die Absicht Amphissas, die Ebene von Krisa, die unbebaut bleiben sollte, zu kultivieren. Philipp II. zerstört Amphissa und schlägt Athen und dessen Verbündete bei Chaironeia entscheidend.

um 340 v. Chr. Der neue Apollon-Tempel in Delphi wird fertiggestellt.

336 v. Chr. Philipp II. stirbt. Alexander der Große tritt die Nachfolge an.

323 v. Chr. Alexander der Große stirbt.

279 v. Chr. Ätoler und Phoker retten das delphische Heiligtum vor den Galliern unter Brennus.

um 190 v. Chr. Der Ätolische Bund verliert die Kontrolle des Heiligtums und des Orakels an die Römer, die bei Magnesia Antiochos III. von Syrien geschlagen haben.

168 v. Chr. Schlacht bei Pydna. Perseus, König von Makedonien, wird von den Römern vernichtend geschlagen. Die Region wird römische Provinz. Der östliche Mittelmeerraum wird dem römischen Reich einverleibt.

86 v. Chr. Sulla beschlagnahmt während des Krieges gegen Mithridates alle wertvollen Weihgaben des Heiligtums.

87 n. Chr. Kaiser Domitian läßt den Apollon-Tempel restaurieren.

2. Jh. n. Chr. Unter Hadrian und seinen Nachfolgern erlebt das Heiligtum von Delphi eine neue Blüte.

392 n. Chr. Theodosius erklärt durch ein Edikt das Christentum zur Staatsreligion. Die heidnischen Kulte werden verboten.

394 n. Chr. Das Heiligtum von Delphi wird geschlossen.

Glossar

Adyton (griechisch =Unbetretbares), ein für alle oder bestimmte Menschen überhaupt oder zu bestimmten Zeiten unzugänglicher Ort, besonders das Allerheiligste; im Apollon-Tempel von Delphi unterirdischer Raum, in dem die Pythia die Orakel erteilte.

Akroterion (griechisch =Spitze), Zierstück (Palmette, Figur) an der Giebelspitze und den Giebelecken besonders des griechischen Tempels.

Alkmäoniden, mächtiges athenisches Adelsgeschlecht, das Ende des 6. Jahrhunderts vor Christus an der Stelle eines älteren, 548 vor Christus durch Feuer zerstörten Apollon-Tempels in Delphi einen neuen errichten ließ.

Biton, Sohn einer Herapriesterin in Argos, Bruder des Kleobis; als ihre Mutter keine Stiere besaß, zogen die beiden Söhne ihren Wagen zum Heraheiligtum. Als Lohn für diese Tat wurden sie mit dem größten Geschenk, das Sterblichen zuteil werden konnte, nämlich in ewigen Schlaf zu verfallen, bedacht. Nach einer etwas anderen Version starben sie nach dem Opfer für Hera auf Bitten ihrer Mutter im Schlaf. Ihre Statuen wurden in Delphi gefunden.

Daochos, thessalischer Fürst, der sein Volk zwischen 338 und 334 vor Christus in der delphischen Amphiktyonie vertrat. Er ließ im Apollon-Heiligtum neun Statuen aufstellen, die ihn selbst und einige seiner Vorfahren, darunter Agias, ein bekannter Athlet und Sieger bei den Olympischen Spielen, darstellten.

Delphusa, eine der drei Quellen, die im heiligen Bezirk von Delphi entspringt.

Dorische Ordnung, die älteste der drei großen Architekturordnungen, deren Hauptmerkmale die kannelierte Säule ohne Basis, das Kapitell mit unverziertem Echinus sowie die Metopen- und Triglyphenfriese sind.

Epinikion (griechisch =Siegeslied), in der Antike Preislied auf Siege in der Schlacht und im Wettkampf.

Euripides, griechischer Dichter, um 480–406/407 vor Christus, zusammen mit Aischylos und Sophokles einer der größten griechischen Tragödiendichter; seine Tragödie *Ion* spielt in Delphi.

Fries, waagerecht verlaufendes Feld oder Flächenstreifen zwischen Architrav und Gesims; in der dorischen Ordnung besteht er aus Metopen und Triglyphen.

Gaia (griechisch =Erde), *Ga, Ge,* eine der ältesten griechischen Göttinnen, als Mutter Erde verstanden. In der *Theogonie* Hesiods eines der Urprinzipien.

Hadrian, römischer Kaiser (seit 117), 76–138; als Verehrer der griechischen Kultur und Philosophie trug er zu einer Erneuerung des Ruhms des delphischen Heiligtums bei.

Gigantomachie, Kampf der Giganten mit den olympischen Göttern. Ausgelöst wurde der Kampf durch den Wunsch der Göttin Gaia, der Mutter der Giganten, sich dafür zu rächen, daß die Titanen von Zeus in den Tartaros gestürzt wurden. Der Kampf endete mit dem Sieg der Olympier und der Sanktionierung der Herrschaft des Himmels über die Erde.

Gymnasion (von griechisch *gymnos* =nackt), im antiken Griechenland eine Gymnastikanstalt, meist in Verbindung mit einer Ringerschule *(Palaistra).*

Heiliger Krieg, im Altertum die zum Schutz Delphis und der delphischen Amphiktyonie geführten Kriege. Der Heilige Krieg wurde vom Rat der Amphiktyonie verkündet. In Wirklichkeit aber versuchten jeweils einzelne Städte oder Stämme unter den verschiedensten Vorwänden die politische Kontrolle über das Heiligtum zu erlangen. Im Zusammenhang mit Delphi gab es vier Heilige Kriege: um 590 vor Christus (Krisa gegen Athen und Sikyon), 448 vor Christus (Sparta gegen die Phoker), 356–346 vor Christus (Theben gegen die von Sparta und Athen unterstützten Phoker) und 340–338 vor Christus (Philipp II. von Makedonien gegen die Lokrer von Amphissa). Unter dem Vorwand des Heiligen Krieges kämpfte 289 Demetrios Poliorketes gegen die Ätoler, die Delphi besetzt hatten, und 279 vor Christus Areus I. von Sparta ebenfalls gegen die Ätoler.

Herodot, *Herodotos,* griechischer Historiker, um 484 – um 425 vor Christus; Begründer der griechischen Geschichtsschreibung; überliefert als erster historische Berichte, die frei sind von phantastischen und irrationalen Elementen; stützt sich auf selbst Erlebtes, durch Augenzeugen berichtete oder aus gesicherten Quellen stammende Fakten.

Hyperboreer, in der griechischen Mythologie ein „jenseits des Nordwindes" *(Boreas)* wohnendes, nach delphischem Glauben seliges Volk; galt als Volk des Lichtes und des Friedens, bei dem Apollon unmittelbar nach seiner Geburt als Gast weilte. Auch allgemein Bezeichnung für nördliche Gebiete.

Ionische Ordnung, eine der drei großen Architekturordnungen, deren Hauptmerkmal die kannelierte Säule mit profilierter Basis und Volutenkapitell ist.

Isthmische Spiele, zu den vier großen panhellenischen Spielen gehörend; alle zwei Jahre zu Ehren des Gottes Poseidon auf dem Isthmos von Korinth gefeiert; seit dem 3. Jahrhundert vor Christus auch mit musischen Wettkämpfen verbunden. Die ersten Spiele fanden 582 vor Christus statt.

Karyatiden, statt Säulen oder Pfeilern verwendete Frauengestalten. Nach der Überlieferung sind sie nach den karischen Frauen benannt, die in die Sklaverei geführt wurden.

Kassotis, eine der drei Quellen, die im heiligen Bezirk von Delphi entspringt.

Kastalia, Nymphe der hl. Quelle am Parnaß, auch Name der Quelle selbst; im Hellenismus Symbol der Dichtkunst.

Korinthische Ordnung, die dritte große Architekturordnung, deren Hauptmerkmal das Kapitell aus stilisierten Akanthusblättern ist.

Kuros, Statue eines nackten Jünglings, die in Heiligtümern oder in Nekropolen aufgestellt wurde.

Marmaria, in Delphi der Bezirk, in dem die Reste des Athena-Tempels stehen.

Metope, Fläche zwischen den Triglyphen, die in der dorischen Ordnung mit Malereien oder Reliefs verziert sind. Sie entsprechen dem Abstand zwischen den Säulen.

Nemeische Spiele, eines der vier panhellenischen Wettspiele, als deren Gründer die Sieben gegen Theben gelten; sie wurden alle zwei Jahre im Hochsommer als Turn- und Reiterspiele zu Ehren des Zeus gefeiert; seit dem 3. Jahrhundert vor Christus wurden die Spiele um musische Wettkämpfe ergänzt.

Olympische Spiele, die wohl bedeutendsten der panhellenischen Spiele; sie wurden alle 4 Jahre zu Ehren des Gottes Zeus in Olympia veranstaltet. Es handelte sich um sportliche Wettkämpfe, an denen zunächst begrenzte Kreise, dann alle freien Griechen, sofern sie männlichen Geschlechtes waren, teilnehmen durften. Seit 776 vor Christus wurden Siegerlisten geführt, doch reichen die Spiele selbst noch weiter zurück.

Opisthodom, an die Cella anschließender und von ihr durch eine Quermauer getrennter Raum mit einem offenen oder von Säulen flankierten Eingang, der durch Gitter versperrt werden konnte.

Parnaß, *Parnassos*, eines der höchsten Gebirgsmassive Zentral-Griechenlands, nördlich des Golfes von Korinth, auf der Grenze von Phokis, Böotien und Phthiotis; galt als dem Apollon und Dionysos heilig sowie als Sitz der Musen (wurde daher zum Symbol der Poesie). Am Südabhang befindet sich die Kastalische Quelle. Am Westhang befand sich eine Grotte, die dem Gott Pan und den Nymphen geweiht war.

Peisistratiden, Bezeichnung für die Nachkommen des athenischen Tyrannen Peisistratos, der um 600–528 vor Christus lebte; bezieht sich vor allem auf seinen Nachfolger Hippias und Hipparchos.

Pelanos, Abgabe, die diejenigen zahlen mußten, die das Orakel befragen wollten. Die Abgabe mußte vor dem Betreten des Heiligtums entrichtet werden.

Phädriaden, zwei Felsen, die über dem delphischen Heiligtum aufragen.

Phiale, flache Libationsschale ohne Henkel.

Phokis, Landschaft in Zentralgriechenland, in der Delphi liegt.

Pindar, einer der größten Lyriker Griechenlands, 522/518 – um 445 v. Chr.; von seinen Gedichten sind *Päane* und *Dithyramben* fragmentarisch, die *Epinikia* fast vollständig erhalten.

Plutarch, griechisch *Plutarchos*, griechischer Schriftsteller, um 46 – um 120; lebte fast nur in seiner Heimatstadt Chaironeia; seit ca. 95 Priester in Delphi.

Promantie, Recht des Vortritts bei der Befragung des Orakels.

Prostylos, griechischer Bau, an dessen Eingangsseite eine Säulenhalle liegt.

Proxenie, der Schutz des Fremden; bezeichnet die Vereinbarung, in der eine Stadt einem prominenten Bürger einer anderen Stadt mit dem Schutz ihrer Bürger, später auch mit der Vertretung ihrer Interessen, beauftragt.

Pythia, Seherin zu Delphi, deren Weissagungen von den Priestern in oft schwer verständliche Verse umgesetzt wurden. Davon *pytisch* = orakelhaft, schwer verständlich.

Pythische Spiele, *Pythien*, bei Delphi am Fuße des Parnaß veranstaltete panhellenische Wettspiele, der Sage nach von Apollon gestiftet, nachdem er den Drachen *Python* getötet hatte. Obwohl auch sportliche Wettkämpfe durchgeführt wurden, hatten die Spiele vorwiegend musischen Charakter. Sie fanden ursprünglich nur alle 8 Jahre, seit 582 v. Chr. alle 4 Jahre statt. Zunächst kaum weniger bedeutend als die Olympischen Spiele.

Python, in der griechischen Mythologie ein gewaltiger Drache, der in der Nähe von Delphi lebte und von Apollon getötet wurde. Nach ihm sollen die Pythischen Spiele benannt worden sein.

Rhython, Trinkgefäß in Form eines Tierkopfes.

Säulenordnung, eine bestimmte gesetzmäßige Ordnung, die das Verhältnis der einzelnen Teile einer Säule, auch das Verhältnis der Säulen untereinander und zu anderen Teilen des Bauwerks bestimmt. Die griechische Baukunst kannte, abgesehen von Sonderformen, drei Säulenordnungen: a) Dorische Säulenordnung; b) Ionische Säulenordnung; c) Korinthische Säulenordnung.

Schatzhaus, Gebäude, das von einer Stadt innerhalb eines bestimmten Heiligtums zu Ehren einer Gottheit errichtet wurde und die Weihgaben der Stadt enthielt.

Sibylle, in der Antike Bezeichnung für Prophetinnen, wahrscheinlich kleinasiatischer Herkunft, die in Ekstase die Zukunft voraussagten und deren Prophezeiungen meist Unheil verkündeten.

Sikyon, antike griechische Stadt an der Nordküste des Peloponnes westlich von Korinth; war bekannt für sein Kunstgewerbe (Keramik, Bronzearbeiten) und war Sitz berühmter Malerschulen. Sikyon besaß in Delphi eines der reichsten Schatzhäuser.

Siphnos, eine der Kykladeninseln mit Gold- und Silbervorkommen. Dank dieses Reichtums konnten die Bewohner in Delphi eines der reichsten und prächtigsten Schatzhäuser errichten lassen.

Stoa, Halle, die an einer Seite eine offene Kolonnade aufweist.

Tholos, griechischer Tempel, Rundbau mit Säulenumgang; auch innen durch Säulen oder Halbsäulen gegliedert.

Triglyph (griechisch = Dreischlitz), von drei Stegen und zwei ganzen und zwei halben Schlitzen gebildete Platte am dorischen Tempel.

Namen- und Sachverzeichnis

Bibliographie

Amandry, P., *La mantique apollinienne à Delphes,* Paris, 1950
Bayer, E., *Griechische Geschichte,* Stuttgart, [2]1977
Bengtson, H., *Griechische Geschichte,* München, [5]1979
Berve, H. und Gruben, G., *Griechische Tempel und Heiligtümer,* München, 1961
Delcourt, M., *L'oracle de Delphes,* Paris, 1955
Hoyle, P., *Delphi und sein Orakel,* Wiesbaden, 1968
Herder Lexikon Griechische und römische Mythologie, Freiburg i. Br., 1981
Jeanmaire, H., *Couroi et Courètes,* Lille, 1939
–, *Dionysos,* Paris, 1952
Kerényi, K., *Die Mythologie der Griechen,* 2 Bde., München, 1966
Knell, H., *Grundzüge der griechischen Architektur,* Darmstadt, 1980
Lessing, E., *Die griechischen Sagen. In Bildern erzählt,* Gütersloh, 1977
Meletzis, S. u. Papadakis, H., *Delphi. Heiliger Bezirk und Museum,* München, [9]1978
Otto, W., *Theophania. Der Geist der altgriechischen Religion,* Frankfurt a. M., [2]1979
Papaioannou, K., *Griechische Kunst* (Ars Antiqua, Serie I), Freiburg i. Br., [4]1980
Pausanias, *Beschreibung Griechenlands,* Übers. von E. Meyer, Zürich, 1954
Rohde, E., *Psyché,* Paris, 1952
Rose, H. J., *Griechische Mythologie,* München, [5]1978
Roux, G., *Delphi. Orakel und Kultstätten,* München, 1971
–, *Delphes, son oracle et ses dieux,* Paris, 1976
Schulz, E., *Die archäologische Landschaft,* München, 1974
Simon, E., *Die Götter der Griechen,* München, [2]1980
Vandenberg, Ph., *Das Geheimnis der Orakel.* Gütersloh, 1979
Wachmeier, G., *Athen. Mit Delphi, Kap Sunion, Aigina, Daphni und Ossios Loukas,* München, 1976
Wilamowitz-Moellendorff, U. (Hrsg.) *Der Glaube der Hellenen,* Darmstadt, [5]1976

Bildnachweis
Kodansha: 44–45, 63, 64, 84 links, 84 unten rechts, 88 unten
Metropolitan Museum, New York: 84 oben rechts
Moessner, Caecilia H., München: 89
Okamura, Takashi: 2–3, 6, 17, 18–19, 20, 21, 22–23, 24, 25, 26–27, 28–29, 30–31, 32, 33, 34–35, 36, 37, 38–39, 40, 41, 42–43, 46, 47, 49, 51, 53, 55, 56, 57, 58, 59, 61, 67, 68, 71, 74–75, 77, 79, 80, 81, 86, 87, 90–91, 92, 93, 94, 95, 96, 97, 98, 99, 100, 101, 102, 103, 104, 105, 106, 107, 108, 109, 110, 111, 112–113, 114, 115, 116, 117, 118–119, 120, 121, 122–123, 124, 125, 126, 127, 128, 129, 130, 131, 132
Petit Palais, Paris: 88 oben